FOI VIVANTE 198

A.-M. BESNARD, R. CASPAR, J.-F. CATALAN
P. DESEILLE, K. HRUBY, P. KOVALEVSKY
J. PIGEOT, Y. RAGUIN, S. SIAUVE

LE MAÎTRE SPIRITUEL

LES ÉDITIONS DU CERF
29, bd Latour-Maubourg, Paris
1980

ISBN 2-204-01526-1

SOMMAIRE

QUESTION

Avertissement

Dans notre monde désorienté où s'écroulent, ou du moins sont menacées, les valeurs sur lesquelles, depuis la Libération, se trouve fondée notre société, nombreux sont ceux qui se mettent en quête d'une vie plus vraie, plus authentique. Où la trouver ? Il ne manque pas de nos jours de maîtres spirituels et de maîtres a penser, ou se prétendant tels. Il ne s'agit pas de les récuser à priori. Qui de nous en effet n'a pas besoin de l'aide, des conseils, de l'exemple d'un maître, d'un guru, d'un staretz, pour se trouver lui-même, prendre conscience de ce qu'il est et à quoi il est appelé ? Encore faut-il apprendre à discerner entre les vrais maîtres et ceux qui n'en ont que l'apparence ou la prétention. Toutes les sagesses ne se valent pas. Toutes les voies ne conduisent pas au même but. Ce petit livre voudrait contribuer à ce discernement.

A l'exception de la contribution du Père Besnard — véritable maître spirituel disparu hélas ! trop tôt — parue dans La Vie Spirituelle, *toutes les autres contributions de ce volume ont été d'abord publiées dans la revue* Axes, *organe du* Cercle Saint-Jean-Baptiste, *revue fondée par le P. Daniélou avec le propos d'engager un dialogue entre christianisme et religions. Nous remercions les responsables de cette revue d'avoir accepté que la collection* Foi vivante *reprenne deux de leurs numéros, particulièrement remarquables :* Le maître spirituel *(février-mars 1974) et* Maîtres et disciples *(avril-mai 1974), aujourd'hui épuisés. Nous espérons que ce volume contribuera à faire connaître leur recherche.*

LES ÉDITEURS

AVONS-NOUS ENCORE BESOIN DE MAÎTRES SPIRITUELS ?

La figure du maître spirituel semble avoir toujours revêtu un caractère étrange et contradictoire. Un peu comme de ces choses qui sont à la fois trop belles et trop rares, désirables et impossibles, magnifiques et suspectes.

C'est vrai, en tout cas, pour notre époque. Le fait même d'en parler surprend. Quoi ! voulez-vous distraire notre esprit des questions autrement pressantes et graves qui doivent le préoccuper ? Des maîtres spirituels, quel luxe ! D'abord, nous n'en connaissons pas. C'est une race disparue qui n'éveille que notre curiosité, et encore mêlée de scepticisme ou de suspicion. Car n'a-t-on pas exagéré la grandeur de certaines figures ? Au pays des simples, la moindre personnalité acquiert un prestige quasi religieux ! Sur des consciences qui n'ont jamais atteint leur autonomie, l'exercice du pouvoir spirituel va de soi ! Faut-il vraiment béer d'admiration devant ces exemples édifiants d'une relation entre maîtres et disciples dont nous apercevons surtout le caractère archaïque, exceptionnel, en parfaite incompatibilité avec notre sensibilité actuelle [1] ?

1. Un simple exemple entre mille : « On a raconté d'un frère qu'il alla chez un ancien. Il lui dit : Je veux une petite demeure. L'ancien lui répondit : Assieds-toi en ce lieu, je vais la chercher. Le frère s'assit là où il l'avait mis, seul. L'ancien partit, passa trois ans dehors et

A moins que vous n'entendiez par maîtres spirituels les grands esprits et les modèles influents qui ont eu quelque autorité dans notre tradition. En ce sens-là, nous n'en avons jamais manqué, nous n'avons jamais cessé de les fréquenter et d'en tirer profit, nous célébrons leurs centenaires et nous feuilletons leurs écrits. Des professeurs ou des conférenciers en parlent et des étudiants rédigent des thèses sur leurs doctrines. Il convient certes d'en rappeler les trésors à ceux qui les négligeraient, mais que dire de spécial à leur sujet ?

Ainsi la figure du maître spirituel prend-elle, dans notre esprit, tantôt les traits d'un mythe prestigieux mais qui n'a plus d'attirance ni de signification pour nous, tantôt ceux d'une image banalisée, dénuée de spécificité, même si elle n'est pas dénuée d'intérêt.

A la recherche d'une sagesse

Au même moment, cependant, un souci lancinant nous assaille. L'homme a accumulé des connaissances sur lui-même et sur l'univers qui le transforment, mais guère en bien ; qui modifient ses conditions de vie, mais en désagrégeant ses raisons de vivre ; qui lui confèrent des responsabilités écrasantes à l'égard de l'espèce et de la planète, mais sans fournir à sa personnalité fragile les moyens de les assumer. Comme le constate crûment et sur la base d'une longue expérience, une figure significa-

après trois ans l'ancien revint, trouva le frère là où il l'avait placé. Le frère n'était pas allé en un autre endroit dans la demeure... » (*Les sentences des Pères du désert*, nouveau recueil, Abbaye de Solesmes, 1970, p. 285.)

tive de notre société : « Finalement, notre monde moderne est plein de gosses paumés. Les adultes, croyez-moi, ça ne court pas les rues [2] ! » Ou, si l'on préfère un diagnostic plus élaboré : « Stimulé par un affrontement de chaque jour, l'homme, à la fois apprenti et combattant, doit découvrir, pour lui-même et pour les autres, des moyens de compenser son excès de puissance par une nouvelle vision du monde, de la vie, du bonheur : par un contrôle de soi impliquant des options, des valeurs, une sagesse [3]. »

Cette sagesse, où la trouver ? Elle devra éclaircir tant de situations inédites que nous ne pouvons purement et simplement la chercher du côté du passé. Une pensée raisonnable est qu'elle sera le fruit de recherches nouvelles, menées dans la ligne de certaines sciences de l'homme, déjà à l'œuvre ou tout entières à susciter à partir de méthodes inédites. Ne suffirait-il pas que les sciences qui ont pour objet l'homme, son organisme, son psychisme, sa personnalité, ses relations, se convertissent à une approche plus adéquate de cet objet, en prenant davantage en considération des dimensions jusqu'ici négligées, dans un plus grand respect du sujet, de l'unité de sa conscience et de sa vie, de son ouverture à la transcendance ? Il ne faut nullement désespérer de voir des esprits scientifiques ou des thérapeutes de diverses obédiences prendre conscience de cette responsabilité assez neuve qui leur incombe et contribuer, pour

2. Madame Soleil, interview parue dans *Le Journal du Dimanche* du 16 janvier 1972.

3. Georges FRIEDMANN : *La puissance et la sagesse*, Paris, Gallimard, 1970, p. 123.

une part non négligeable, à la mise au point de la « nouvelle vision du monde, de la vie, du bonheur ».

Il est à parier cependant qu'aussi féconde soit cette recherche, il lui manquera toujours quelque chose pour être la réponse suffisante au besoin que nous ressentons. Elle fournira à la sagesse tant désirée un bon arsenal de justifications, d'appuis, d'outils, la plupart des ingrédients seront là, mais point l'énergie ni les ultimes conditions capables d'en opérer la synthèse unique. Car c'est la force de toute science que d'isoler certains aspects convenablement choisis d'une réalité donnée, afin d'en dégager une structure rationnelle cohérente, elle-même utilisable en vue d'interventions pratiques efficaces. Mais le prix de ce pouvoir est de s'interdire, par décision irrévocable contenue dans la méthode elle-même, de saisir et de promouvoir la totalité instantanée et la singularité d'un existant quelconque, et surtout lorsqu'il s'agit de l'homme et de sa conscience en proie au décisif de son destin.

Le rôle universel du Maître

C'est pourquoi nous pouvons être assurés que la sagesse que nous cherchons ne sera jamais totalement produite par des laboratoires, contenue dans des livres, transmise par un enseignement semblable à tous les autres. Nous ne pourrons pas nous affranchir (mais pourquoi le voudrions-nous ? par quel préjugé bizarre estimerions-nous que ce serait plus noble pour l'homme ?) de la nécessité qui veut que ce sont des vivants expérimentés qui transmettent à d'autres vivants certains processus délicats de la réussite de la vie. Et de la réussite de la vie en telles et telles conditions, aux prises avec tels et tels obstacles.

Les chemins de la véritable sagesse ressemblent au chemin par lequel Yahvé libéra son peuple opprimé en Égypte : apparemment on peut en retracer l'itinéraire sur les cartes du Sinaï, mais, sans l'Esprit qui accompagnait Israël, ces repères matériels n'apprennent pas grand-chose ; comme dit le psaume : « Sur la mer fut ton chemin, ton sentier sur les eaux innombrables, mais tes traces, nul ne les connut » (Ps 77, 20). Seul celui qui, à nouveau familier de l'Esprit, a retrouvé pour son compte ces traces insaisissables peut orienter d'autres hommes sur la voie de leur libération.

Celui donc qui cherche à se frayer une voie vers ce qu'il estime devoir être pour lui la vie, la liberté, le bonheur, et qui reconnaît, après des efforts considérables mais infructueux, que celle qu'il suit n'est pas assurée, et peut-être même semble ne conduire nulle part, celui-là va se mettre tôt ou tard, plus ou moins consciemment, en quête de quelqu'un qui pourra l'aider à découvrir l'issue, et quelle que soit la manière dont la chose peut advenir. Il le cherchera peut-être délibérément, peut-être inconsciemment. Il hantera certains lieux où il espère avoir des chances de le rencontrer, à moins qu'il s'en remette au pur hasard. Il se demandera devant tel ou tel : n'est-ce pas lui ? ou il s'étonnera de l'envie qui lui prend de demander à tel autre un rendez-vous. Tout cela, de manière explicite ou voilée, est vécu, même aujourd'hui, par beaucoup plus d'êtres qu'on ne pense, sauf que beaucoup n'osent pas avouer une telle recherche, ou ne croient pas qu'elle puisse aboutir et se résignent à se débattre seuls avec leur espérance à demi morte. Dans le nombre, il y a, bien sûr, les éternelles têtes de moineau qui volettent, de-ci, de-là, moins à la recherche d'une vie mieux assumée que d'un doux entretien de leur infantilisme. Doivent-ils cependant discréditer les autres? Qu'étaient les Jean, André, Nicodème de l'Évangile, sinon des êtres en proie à cette quête?

La loi qui se dégage, à ce niveau d'universalité et de généralité, est celle qui fonde le rôle du maître spirituel. Mais peut-être comprenons-nous maintenant que par « maître spirituel », il ne faut pas d'abord entendre une personnalité singulière, un homme venu d'ailleurs, aux pouvoirs extraordinaires. Il s'agit plutôt d'un *archétype* dont la manifestation peut revêtir des modes extrêmement divers [4]. Il signifie avant tout que celui qui cherche la voie ne la trouve jamais seul, mais dans une relation de type original avec un ou plusieurs hommes qui ont pouvoir, grâce à cette relation, et normalement grâce à ce qu'ils sont eux-mêmes devenus, grâce à une certaine vérité condensée en eux, de libérer chez celui qui les rencontre la découverte « du droit chemin vu bien clair » (expression de saint Jean de la Croix) – vu bien clair et correctement poursuivi.

A PARTIR D'UN SIMPLE EXEMPLE

Un exemple pris dans le domaine profane, plus précisément artistique, va nous permette des remarques intéressantes sur cette relation originale.

4. Dans la suite de cet article, la majuscule indiquera qu'il s'agira de l'archétype du Maître, quelle que soit sa réalisation concrète.

Alain Lombard, chef d'orchestre et directeur de « l'Opéra du Rhin », raconte l'importance qu'a revêtue pour lui un séjour de deux mois auprès de l'illustre Karajan [5] : « C'est comme si j'avais vécu jusque-là dans une chambre dont les rideaux auraient été tirés, et lui, pour la première fois, me les a soulevés. Je croyais savoir beaucoup de choses, mais durant les huit premiers jours, je ne m'y retrouvais plus ; je me disais : mais de quoi parle cet homme ? Après ces huit jours, j'ai commencé à comprendre, grâce à lui, que je ne savais rien. La première leçon que j'en ai retenue, c'est l'importance du travail : qu'il fallait posséder par cœur sa partition, jusqu'à s'y trouver totalement à l'aise. Et c'est vrai, savez-vous que, lorsque Karajan dirige un orchestre, pratiquement aucun des exécutants ne peut faire d'erreur d'interprétation, tant la direction est précise. »

Dans cette rencontre, Karajan a joué le rôle du maître à l'égard d'Alain Lombard. Au contact d'un homme qui a atteint la maîtrise de son art, le disciple (dont il faut noter qu'il avait déjà un talent singulièrement exercé) éprouve comme une révélation : cela même qu'il faisait avec ferveur depuis tant d'années, c'était donc encore tout autre chose ! cela pouvait accéder à une qualité insoupçonnée, atteindre à une réalisation d'un autre ordre !

Le plus grand service que le Maître rend ici au disciple n'est pas d'abord de lui communiquer quelques ultimes recettes techniques (cela importe parfois, mais demeure secondaire), c'est de lui faire prendre cons-

5. Écho d'un entretien sur les ondes de France-Culture, le 29 décembre 1971.

cience que jusqu'ici il ne savait rien. Nous comprenons que ce rien est relatif : que la conscience de son non-savoir va précisément valoriser chez le disciple tout le savoir antérieur, va lui permettre de l'utiliser avec le maximum de liberté créatrice. Nous percevons bien là ce qu'est la sagesse par rapport à la science : non pas un savoir de plus, mais un élargissement de la conscience à l'égard des connaissances et des expériences accumulées. En acceptant de nier la conscience liée à la satisfaction de tout le savoir acquis – et, du coup, prisonnière de ses propres possessions –, en la purifiant par un dépouillement qui d'abord désoriente, on redevient disponible aux virtualités de progrès que l'on porte en soi, on s'éveille à une manière originale, exigeante, de poursuivre son chemin.

Alain Lombard achève de nous étonner lorsqu'il déclare que la première leçon qu'il a retenue de Karajan a été la nécessité du travail. Il ne semble pas qu'il faille courir le monde et trouver un maître rare pour apprendre une banalité si évidente ! D'autant que le disciple qui se présente a lui-même fait la preuve de longues années d'un travail assidu. Mais là encore, ce qui compte pour le disciple, c'est moins le rappel d'un principe connu qu'une certaine manière de l'entendre, d'y être voué et d'y trouver le chemin à corps perdu de son propre développement. On remarquera que cette confidence rejoint exactement celle que fit le poète Rilke lorsqu'il évoque la principale leçon qu'il retira de son séjour auprès de Rodin : pour lui aussi, ce fut la découverte de l'importance primordiale du travail, de la transmutation d'énergie qu'il opère. « Ce n'est pas seulement pour faire une étude que je suis venu chez vous, c'était pour vous demander : comment faut-il vivre ? Et vous m'avez répondu : en travaillant. Et je le comprends bien. Je sens que travailler, c'est vivre sans mourir. Je suis plein de reconnaissance et de joie[6]. »

Or nous sommes moins loin qu'il ne paraît du cas du maître spirituel. Car une analogie, qui ne va pas sans signification, rapproche les multiples réalisations de l'archétype du Maître dans les domaines les plus divers où l'homme cherche à accomplir pleinement sa vie.

Le rôle du Maître spirituel

Le Maître spirituel aussi est celui au contact duquel on peut obtenir la révélation d'une tout autre qualité d'accomplissement de ce à quoi on s'était soi-même

6. Il poursuit : « Depuis ma première jeunesse, je ne voulais que cela. Et je l'ai essayé. Mais mon travail, *parce que je l'aimais tant*, est devenu pendant ces années une chose solennelle, une fête attachée à des inspirations rares ; et il y avait des semaines où je ne faisais rien, qu'attendre avec des tristesses infinies l'heure créatrice. C'était une vie pleine d'abîmes. J'ai évité anxieusement tout moyen artificiel pour appeler l'inspiration (...), je n'ai pas eu le courage de remporter les inspirations lointaines en travaillant. Maintenant je sais que c'est le seul moyen de les garder. » (Lettre à Rodin du 11 septembre 1902. Fac-similé dans R. M. Rilke, Paris, Seghers, 1970. « Poètes d'aujourd'hui 14. ») Et quand il parle de Rodin, plus tard, l'insistance revient : « Songez comment dut travailler celui qui voulait se rendre maître de toutes les surfaces ; puisque aucune chose n'est semblable à l'autre... Ce bien-faire, ce travail avec la conscience la plus pure, était tout... il devait être fait si humblement, si servilement, avec un tel don de soi... « Avez-vous bien travaillé ? » Telle était la question par laquelle il salue tous ceux qui l'aiment... Travailler comme la nature travaille, et non comme l'homme, telle était sa destinée » (« Augustin Rodin », dans R. M. Rilke : *Œuvre*, I, Paris, Seuil, 1966, pp. 421-422, 428).

adonné longuement. Quand les disciples voient prier Jésus, ils saisissent en un éclair que ce qui s'accomplit à côté d'eux a une tout autre densité, une tout autre vérité que ce qu'ils avaient jamais vécu jusque-là sous le nom de prière. Quand Augustin surprend Ambroise en train de méditer l'Écriture, il reçoit en silence la certitude que les textes sacrés comportent des profondeurs et méritent une attention dont il ne s'était pas encore soucié à ce point. Quand frère Massée tente de railler François d'Assise sur la vénération dont il est l'objet et qu'il entend la réponse de celui-ci, il est « saisi de crainte » devant un abîme d'humilité qu'il avait été jusque-là incapable de concevoir. Quand Motovilov voit le visage transfiguré de Séraphin de Sarov, il découvre avec stupéfaction la réalité tangible de l'Esprit et de la transformation qu'il opère chez celui qui se livre à son action.

Notre malheur, et qui rend notre vie si terne, notre esprit si sceptique, nos conceptions si misérables, c'est que nous nous faisons de Dieu, de nous-mêmes, de la vie une image ou fabuleuse ou étriquée : ou irréelle ou sordide. Pour percevoir la vérité, dans cette splendeur grave qui dilate tout d'un coup notre horizon et notre destin, il ne faut rien de moins qu'une initiation. Celui-là aura rempli pour nous le rôle du Maître qui, même dans le contact d'un instant, nous en aura fait franchir le seuil. Nous ne sommes plus le même après qu'avant. Quelque chose d'infiniment précieux nous a été transmis, et peut-être deviendrons-nous aptes à le transmettre à notre tour : quelque chose qui est de l'ordre de la profondeur, de la grandeur, de la qualité, et tout cela si réel que c'en est saisissant. Nous sommes entraînés à y revenir comme à l'une des clés de notre accomplissement, et ce n'est pas un savoir qui s'enclôt dans quelques formules, c'est une espèce de lumière dont parfois, il est vrai, un mot surprenant, une phrase lapidaire laisse étinceler l'inépuisable éclat. Tels ont été la plupart des *logia* de Jésus, qui se sont imprimés dans la mémoire des disciples. Aux arêtes taillées comme des diamants, ces paroles sont le cœur de l'Évangile.

Le Maître nous ouvre *la voie*. Au moment où, munis de notre équipement professionnel, relationnel, culturel, spirituel, nous allions nous mettre simplement à « appliquer les connaissances acquises », à reproduire des procédés et des stéréotypes, le Maître nous libère de ce cercle, il nous désigne une possibilité plus haute d'accomplissement, il nous rend le courage de devenir ce que nous avons à être. Ou bien, si nous sommes de ceux qui ont déjà voulu briser le cercle par dégoût de l'existence close, par pressentiment d'une aventure meilleure, c'est le Maître encore qui nous ouvre la voie : au moment où, ayant fait maintes tentatives infructueuses en toutes sortes de directions, ayant erré sans loi à travers expériences et doctrines, nous allons nous avouer guère plus avancés, et plutôt moins, qu'auparavant, le Maître nous libère de cette autre manière de tourner en rond, il propose un chemin défini, il réussit à nous faire comprendre le sens de telle pratique, de telle ascèse. En cela justement il est celui qui initie : il permet de faire enfin les premiers pas vers un développement réellement personnel, et cela dans l'équilibre juste, dans l'embrayage correct du projet de l'esprit sur la pratique qui le réalise. Bien des répétiteurs de méthodes peuvent enseigner, sans erreur, le premier et le dernier mot d'un art quelconque ; on peut, sous leur direction, acquérir une bonne connaissance de la théorie et un exercice honnête de la pratique. Mais c'est au moment où l'on a la chance de rencontrer un maître que l'on comprend soudain « que l'on ne savait rien ». Il faut tout reprendre de la science acquise, non pour la répéter une fois de plus, mais pour la porter à une nouvelle température dans le creuset de la conscience où elle produira enfin ses véritables fruits.

Pour ce nouvel effort, le Maître donne courage. Quel qu'il soit, l'une des premières leçons qu'il donne, sans même le dire, est bien celle que reçut Alain Lombard auprès de Karajan ou Rilke auprès de Rodin : le travail. L'humble et perpétuelle reprise des exercices. L'inlassable obéissance aux règles de la pratique. La rigueur de la discipline acceptée en conscience. Mais cette fois-ci une ardeur neuve nous habite, car il nous semble d'un coup apercevoir comment le but lumineux et tant recherché se trouve justement dans l'axe de la modeste et besogneuse visée de l'exercice. Celui-ci n'est plus la gamme fastidieuse, privée de noblesse et de sens, l'ennuyeuse répétition vécue comme une peine, il relève de la dignité propre de l'homme auquel il est proposé d'acquérir sa plus haute liberté par le moyen de l'astreinte intelligente aux lois reconnues de sa condition charnelle et temporelle. Bien des pseudo-disciples se disent en quête de maîtres, mais ils s'imaginent ces derniers comme des magiciens auprès desquels, en buvant simplement leurs paroles ou en profitant de leur rayonnement, ils connaîtront la sagesse sans se donner aucun mal. Mais de tels maîtres n'existent pas, ou ne sont que charlatans. Peut-être même le Maître ne vous dira-t-il rien que vous ne sachiez déjà par cœur, mais à son contact un éclair traversera votre esprit : il me semble maintenant que j'ai vraiment envie de mettre tout cela en pratique ! et, vous disant cela, vous concevrez aussi de quoi il s'agit dans cette « pratique », quelque chose d'infiniment simple, mais à quoi vous n'étiez jamais parvenu. Le Maître a ôté l'obstacle, maintenant c'est à vous de faire et de découvrir que vous avez tout ce qui est nécessaire pour vous mettre au travail. Ainsi, dès sa première « leçon », dès qu'il vous instruit de la nécessité du travail, le Maître vous rend à votre liberté, il fait valoir en vous ce qui ne dépend que de vous, il ne vous attache pas à lui-même mais il vous applique à votre tâche, que ni lui ni personne ne peut accomplir à votre place. C'est pourquoi, d'ailleurs, les maîtres d'autrefois prenaient bien garde de ne pas s'encombrer de disciples qui n'avaient pas l'air décidé de se mettre vraiment au travail. Le Christ n'a pas fait exception : « Pourquoi m'appelez-vous " Seigneur, Seigneur " et ne faites-vous pas ce que je dis ? Quiconque vient à moi, écoute mes paroles et les met en pratique, je vais vous montrer à qui il ressemble. Il ressemble à un homme qui, bâtissant une maison, a creusé, creusé profond et posé les fondations sur le roc. La crue survenant, le torrent s'est rué sur cette maison, mais il n'a pu l'ébranler, car elle était bien bâtie. Celui-là au contraire qui a écouté et n'a pas mis en pratique ressemble à un homme qui aurait bâti sa maison à même le sol, sans fondation. Les flots se sont rués sur elle, et aussitôt elle s'est écroulée ; et le désastre survenu à cette maison a été grand ! » (Lc 6, 46-49).

Syméon le Nouveau Théologien est un bon écho de la tradition unanime : « Frères dans le Christ, ne nous contentons pas d'apprendre en paroles ce qui est ineffable : c'est également impossible aux professeurs en semblables matières et à leurs auditeurs. Car ni les professeurs ne peuvent, sur les réalités intelligibles et divines, fournir à strictement parler à partir d'exemples des démonstrations évidentes, et exprimer objectivement, en ce domaine, la vérité même, ni leurs disciples apprendre par la seule parole la portée de ce dont ils leur parlent : c'est par la pratique, la fatigue et les peines que nous nous efforcerons de les appréhender et d'être élevés à cette contemplation, afin d'être par là initiés aux paroles sur de telles réalités et que, dans cet état, Dieu soit glorifié en nous, que nous aussi par la connaissance de telles réalités nous le glorifiions, et que lui nous glorifie, dans le Christ lui-même, notre Dieu, à qui appartient toute gloire dans les siècles [7] ! »

Une génération qui rejette les maîtres ?

A écouter les voix du temps, celles du moins dont la clameur est la plus forte, on pourrait être pessimiste sur la possibilité pour l'archétype du Maître spirituel de continuer à se réaliser d'une manière ou d'une autre parmi nous. Nous pensons : peut-il y avoir la disponibilité minimum chez des esprits qui tendent à rejeter toute forme d'autorité, qui se méfient de toute supériorité, qui semblent contester tout l'édifice des formes traditionnelles d'enseignement ? La clameur se fait agressive et fanatique : « Méfiez-vous des leaders, des héros, des

7. *Catéchèses*, XIV, Paris, Cerf, 1964. « Sources chrétiennes 104 », pp. 219-221.

organisateurs. Attention : danger. Méfiez-vous des structuromanes. Ils ne comprennent rien... Nous savons que les leaders ne servent à rien ; les bons comme les mauvais nous ont conduits à la situation présente. Que le leader soit bon ou mauvais, aucune importance, le pouvoir en lui-même est mauvais... Les héros ne sont que des héros, rien de plus. Quiconque veut diriger est un flic [8] ! »

Le mot clé, dans de telles protestations, est le mot « pouvoir » : que ce soit le pouvoir direct de la force établie, le pouvoir de la science, le pouvoir du système organisé ou le pouvoir plus subtil qu'exerce le héros quand il devient un instrument de chantage au service d'un pouvoir moral. Si les protestations contre les pouvoirs n'empêcheront probablement jamais ceux-ci de sévir, sauf à provoquer d'éventuels bouleversements parmi leurs détenteurs, elles indiquent à l'évidence que ces pouvoirs sont subis, tenus en position d'extériorité par rapport aux consciences qui, à tort ou à raison, se défendent contre eux. Cela peut donner lieu à l'affrontement du maître et de l'esclave, mais le terme de « maître » ressortit alors au langage de l'oppression de l'homme par l'homme. Cela ne semble pas laisser de place à la relation du maître et du disciple, au sens où nous nous y intéressons ici. *A moins que, précisément, il soit de l'essence de cette dernière relation de s'accomplir en dehors du champ des pouvoirs.*

Or telle est bien la véritable originalité de l'archétype du Maître. De même que la sagesse réussit à faire perce-

8. « Communications Company of San Francisco », cité dans *Actuel*, n° 10-11, juillet-août 1971, p. 8.

voir le savoir comme un non-savoir et que c'est une condition de la liberté spirituelle, de même elle réussit à intervenir dans la conscience d'autrui par une influence exercée comme un non-pouvoir [9].

Les maîtres qui jouissent du pouvoir qu'ils sont susceptibles d'exercer sur ceux qu'ils instruisent ne sont pas en vérité des maîtres, à plus forte raison s'ils abusent de pouvoirs secrets que leur degré de développement leur a permis d'atteindre, hypothèse qui n'est pas inimaginable dans certaines traditions ésotériques. Selon la tradition musulmane des Soufis, il est entendu que la communion entre maître et disciple « ne se produit pas à partir de l'esprit du maître mais à partir de l'esprit du disciple, lorsque celui-ci est bien disposé, c'est-à-dire que le rayonnement spirituel dont il s'agit se manifeste par la volonté de Dieu en vertu de la force attractive inhérente à l'esprit du disciple, quand Dieu veut qu'il bénéficie de son maître. Ce n'est donc pas que le maître possède a

9. Ce non-pouvoir n'est pas une négation d'autorité. La parole et l'exemple du maître, comme la parole et l'exemple du père, interviennent de façon transformante dans la vie du disciple. Voir dans A. DUMAS, *Croire et douter* (Éditions Œcuméniques, 1971, pp. 105 ss.), une analyse intéressante de la distinction qu'on peut faire entre autorité et pouvoir. Extrayons ces quelques lignes : « Quand les Églises ne savent plus respecter la distinction entre l'autorité, née de la crédibilité confiante, et le pouvoir, fondé sur une infaillibilité institutionnelle, elles détruisent l'autorité en rendant insupportable le pouvoir. Elles ne suivent pas la voie de Jésus, privé de pouvoir et source d'autorité... Le secret de sa véritable autorité n'est pas seulement son refus d'utiliser le pouvoir. Elle est aussi et avant tout sa faculté, en obéissant, de reconnaître l'autorité de l'autre, et par là même de maintenir entre lui et nous le lien jamais brisé de l'écoute attentive de la liberté » (pp. 122, 124).

priori le pouvoir de disposer de l'esprit de ses disciples [10]. »

C'est une caractéristique de l'authentique sagesse d'être marquée du sceau du désintéressement et de la gratuité, de ne vouloir peser d'aucune manière sur la liberté intime de celui qui vient s'enquérir d'elle. De ce point de vue, Jésus a été un maître unique, soucieux de faciliter à ses propres disciples l'exercice de leur liberté, et jusqu'à l'heure où la crise pouvait fausser leurs relations avec lui : « ... " nul ne peut venir à moi, sinon par un don du Père ". Dès lors, nombre de ses disciples se retirèrent et cessèrent de l'accompagner. Jésus dit alors aux Douze : " Voulez-vous partir, vous aussi ? " » (Jn 6, 65-67). Le Christ a tellement décliné l'exercice de tout « pouvoir » qu'il s'est laissé broyer par les pouvoirs établis. C'était afin qu'il soit clair, pour tous ceux qui croiraient en lui, qu'il est leur Seigneur et leur Maître d'une manière qui n'a aucun équivalent humain, par la pure force de la lumière *qu'il est* et qui ne veut que se donner, illuminer, sauver. Nul ne peut égaler le Christ dans la réalisation suprême de l'archétype du Maître, car Sagesse créatrice, il connaît l'homme de part en part, et, Envoyé du Père dans l'histoire, il est le Pédagogue parfait, à la fois celui qui éveille et soutient, celui qui instruit et conduit, et la Voie elle-même. C'est pourquoi il disait à ses disciples : « Pour vous, ne vous faites pas appeler " Rabbi " : car vous n'avez qu'un Maître, et tous

10. Cité par T. BURCKHARDT, « La chaîne d'or (Maîtres et disciples dans l'Islam maghrébin) », dans *Hermès* 4 (1966-1967), Le Maître spirituel, p. 142.

vous êtes des frères... Ne vous faites pas non plus appeler “ Docteur ”: car vous n’avez qu’un Docteur, le Christ » (Mt 23, 8, 10).

Chances nouvelles

Ce qui devient remarquable, c’est que la génération qui conteste le plus toutes les formes de pouvoir est aussi celle en laquelle se réveille, chez plusieurs, le désir d’aller interpeller des maîtres de sagesse, et, en même temps, celle pour laquelle la question « qui est Jésus Christ ? » est susceptible de redevenir une question importante et ouverte. Cela tient sans doute au fait que l’attitude essentielle, pour ceux-là, est l’ouverture à la vie, et que le rejet des professeurs qui ont trop facilement réponse à tout (mais une réponse stérile) s’accompagne de la recherche d’authentiques témoins de la vie, auprès desquels il serait possible de prendre le départ pour son propre cheminement.

« Le président de *City College* à New York, M. Buell Gallagher, décrit cette génération comme caractérisée par les idées suivantes : “ Ce qui arrive. Que ce soit concret, que ce soit vivant et conforme à la vie, que ce soit personnel. Que ce soit maintenant... ” Ils rejettent ouvertement les professeurs et les leaders religieux qui ont toutes les réponses à n’importe quoi et à toutes les situations avant que les événements soient même arrivés. Les pensées rationnelles ne les convainquent pas des réalités ultimes ; seule y parvient la rencontre ouverte avec la vie dans toute sa fraîcheur, sa crudité et son imprévisibilité. C’est la seule réalité qui ait un sens pour eux. Ils ont faim d'expériences directes, immédiates et totales *maintenant* et non demain [11]. »

Comme si le Père poursuivait son attraction imperceptible dans la profondeur non manipulable des consciences et des libertés, de telle sorte que puisse s'accomplir à nouveau la parole de Jésus : « Nul ne peut venir à moi si le Père qui m'a envoyé ne l'attire... Il est écrit dans les prophètes : *Ils seront tous enseignés par Dieu.* Quiconque entend l'enseignement du Père et s'en instruit vient à moi » (Jn 6, 44-45). La figure du Christ, telle qu'elle apparaît dans sa vérité, enseignant la sagesse de l'amour au nom du Père et la rude discipline du Sermon sur la montagne, mais excluant tout exercice d'un pouvoir coercitif, même moral, n'est pas toujours loin de correspondre à l'image du Maître telle qu'elle émerge, encore très floue, dans la conscience de ceux qui se mettent en quête d'un nouveau sens de la vie.

Mais pour que cette correspondance aboutisse à une rencontre effective entre ceux qui cherchent et le Christ qui aussi les cherche, il sera vain de vouloir s'adresser à une quelconque sorte d'apologétique, à n'importe quelle démonstration par des chrétiens bien intentionnés. Seule aura quelque efficacité la rencontre d'hommes véritablement adultes et de témoins de la foi, et ceux-là joueront très exactement le rôle de maîtres. Non pas au sens où, nous l'avons rappelé, le Christ seul est le Maître, mais au sens où celui qui se disait l'unique lumière du monde donnait pouvoir aux siens de devenir à leur tour lumière pour d'autres (cf. Mt 5, 14-16), de sorte qu'en eux aussi

11. G. MALONEY, s. j. : « The Jesus Prayer », dans *Spiritual Life*, vol. 16, n° 2, été 1970, pp. 102-108.

peut se réaliser, d'une manière plus ou moins intense, plus ou moins universelle, l'archétype du Maître. Mais il est à parier que, plus qu'à aucune époque, ils devront assumer un tel rôle hors de toute collusion avec un pouvoir quelconque, mettant un soin jaloux à ne créer à leur égard, de la part de ceux qu'ils accepteront d'aider, aucune sorte de dépendance infantilisante. Seuls seront des maîtres ceux qui auront assez d'humilité, de détachement, de désintéressement, et qui auront suffisamment purifié leur propre subconscient pour être capables de communiquer, dans une honnêteté irréprochable et pourtant un amour d'autrui infatigable, ce qu'ils auront assimilé d'une sagesse humaine pour le XXe siècle et de la sagesse divine selon l'Évangile.

Divers visages du Maître

Nous disions que l'archétype du Maître peut se réaliser de bien des manières. Il s'est réalisé autrefois dans un type de relation privilégiée où l'obéissance inconditionnelle du disciple jouait un rôle primordial. Même alors, d'ailleurs, on ne sait trop ce qui était le plus rare : de trouver de tels disciples ou de trouver des maîtres pour ces disciples. Écoutons Syméon le Nouveau Théologien (au Xe siècle !) :

« Rares à la vérité, maintenant surtout, les hommes vraiment experts à faire paître et à soigner les âmes raisonnables. Car pour le jeûne, la veille et tous les dehors de la dévotion, beaucoup, sans doute, en ont fait parade ou même les ont effectivement acquis ; quant à réciter de longues leçons et à enseigner avec des mots, la lupart le font sans peine ; mais s'agit-il de retrancher es passions par les pleurs et d'obtenir de façon indéraci-able les vertus capitales, il s'en trouve bien peu. Or ce ue nous appelons vertus capitales c'est l'humilité qui rrache les passions et procure la céleste et angélique mpassibilité, ainsi que la charité qui jamais ne s'arrête i ne tombe, mais continuellement se porte à ce qui est n avant, ajoutant désir à désir et amour à amour, la harité qui alimente la parfaite discrétion, laquelle se uide elle-même sans erreur ainsi que ceux qui la sui-ent, et fait traverser sans encombre la mer spiri-uelle [12]. »

Syméon, pour sa part, avait eu la chance de trouver n maître parfait, Syméon le Pieux. Il ne cesse, en naints endroits de ses *Catéchèses*, de célébrer sa némoire :

« Comme une citerne d'une eau ruisselante, ainsi notre saint Père reçut-il de la plénitude du Christ notre Maître, et fut-il empli de la grâce de son Esprit, qui est l'eau vivante. Mais tel celui qui à son tour puise à la citerne, jusqu'à satiété, du trop-plein de son eau débor-dante en dehors, ainsi nous-même, auprès de notre Père saint, avons-nous vu et pris et bu le trop-plein de grâce qui débordait de lui sans cesse, y avons-nous lavé nos yeux, nos mains et jusqu'à nos pieds, avant de nous y baigner entièrement avec notre corps entier et jusqu'à notre âme, grâce à cette eau immortelle, ô l'étrange et admirable mystère, frères [13] ! »

12. *Op. cit.,* Cat. XX, p. 347.
13. *Ibid.*, Cat. VI, pp. 31-33.

Le maître d'un instant

Oui, étrange et admirable mystère. Mais nous ne pouvons croire qu'il n'y aurait de maîtres pour nous qu'à la condition de trouver à notre tour un saint exceptionnel auprès duquel il nous serait loisible de vivre jour et nuit. A l'autre extrémité de l'éventail possible des réalisations de l'archétype du Maître, il est traditionnel de mentionner la figure du maître promu tel par un hasard fugitif, la rencontre d'un instant mais qui déclenche l'événement intérieur :

« Un homme arrive auprès d'un autre, il le regarde, il lui dit quelques mots : le choc est immense, la commotion inattendue. Une cloison s'est abattue dans l'esprit du récipiendaire de cette foudre spirituelle. Le *guru* d'un instant disparaît, ayant rempli sa mission. Il lui a suffi de révéler par ce contact fugitif la primauté de la Réalité intérieure. La percée momentanée des barrières interindividuelles est le signe de son omniprésence, le " Soi ". Ou bien encore, en mode atténué, quelque parole entendue au moment favorable laisse une trace profonde et réoriente une existence. Parfois suffit un seul regard. Il est remarquable que cette secousse puisse être conférée par un homme ordinaire, étranger en tous points à l'enseignement traditionnel [14]. »

14. Patrick LEBAIL, « Les visages du maître dans le Vedanta », dans *Hermès* 4, pp. 147-148.

Une anecdote des Pères du désert illustre ce fait et comment la voix du Maître peut retentir pour un ancien chevronné dans la question naïve d'un enfant :

« Un petit frère fut envoyé par son abbé chez un certain frère qui avait un jardin au Sinaï, pour prendre quelques fruits à l'ancien. Et comme il était arrivé au jardin, il dit au frère qui était propriétaire du jardin : " Père, as-tu quelques fruits, m'a dit mon abbé ? " Il lui dit : " Oui, mon enfant, tout ce que tu veux, c'est là, prends tout ce qu'il te faut. " Le petit moine dit : " Y aurait-il peut-être ici la miséricorde de Dieu, Père ? " Quand l'autre entendit cela, il demeura pensif, les yeux à terre, et il dit au jeune homme : " Qu'as-tu dit, mon enfant ? " Le jeune homme répéta : " J'ai dit, Père : y aurait-il peut-être ici la miséricorde de Dieu, Père ? " Et de nouveau une troisième fois le frère lui posa la même question. Le propriétaire du jardin fut silencieux un moment et ne sut que répondre au jeune homme, mais en soupirant il dit : " Dieu nous aide, mon enfant ! " Et laissant le jeune homme sur-le-champ, il prit sa mélote et alla dans le désert, abandonnant le jardin et disant : " Allons chercher la miséricorde de Dieu. Si un petit enfant m'a interrogé sans que je puisse lui donner une réponse, que ferais-je quand je serai interrogé par Dieu [15] ? " »

Peut-être, dira-t-on, en des cas semblables, qu'il ne faut pas tant voir la réalisation du Maître dans le pas-

15. *Les sentences des Pères du désert, op. cit.*, pp. 92-93.

sant occasionnel que dans le « Maître intérieur », auquel le choc de la rencontre extérieure a permis de se manifester. L'Esprit est en nous, mais il dort – ou plutôt nous dormons à lui, si l'on peut oser l'expression ! La provocation extérieure a pour effet de nous éveiller à lui. On comprend que le résultat ne soit donc pas en proportion directe de la provocation, laquelle peut être fort banale (il arrive à des prédicateurs de marquer profondément des vies par des paroles prononcées distraitement) mais en relation avec les possibilités et la mesure de l'Esprit latentes dans le sujet.

Paternité spirituelle aujourd'hui

Marcel Légaut a essayé, de son côté, de décrire une troisième réalisation de l'archétype du Maître, dans la perspective du christianisme de l'avenir. C'est une réalisation traditionnelle, puisqu'elle s'exprime en termes de paternité, mais on sent, à la manière dont il en parle, que cette paternité est vécue sous les modalités d'une sensibilité très moderne. Marcel Légaut rappelle d'abord que la transmission du christianisme, dans sa sève nourricière, ne peut pas être le fait du simple « professeur » :

« ... La perfection même des méthodes employées par le bon professeur qui n'est cependant que cela, quand il traite de la vie spirituelle, voire de la théologie, donne le change en rendant apparemment clair et évident ce qu'il enseigne. Il empêche ses auditeurs de soupçonner l'épaisseur questionnante mais aussi appelante de ces matières singulières qui, à vrai dire, ne supportent que le témoignage, car hors de la vie de celui qui les expose, elles ne sont plus que l'ombre caricaturale d'elles-mêmes. Le bon professeur, qui n'est pas aussi en quête de ce qu'il enseigne et en lutte continuelle avec son savoir, instruit mais ne pousse pas à la recherche, sans laquelle la foi ne peut connaître un réel épanouissement et reste paralysée, voire asphyxiée, dans la gangue des doctrines. Il rassure et assoit dans la conviction celui qui aurait besoin qu'on l'aide à se lever et à partir sous l'exigence de sa foi, sur le chemin qui est le sien, à la rencontre de son être et à la découverte de Jésus. »

Il en conclut que « l'échec de ces méthodes de spiritualité confirme la nécessité d'une filiation spirituelle dont nul enseignement ne peut tenir la place, dont nulle technique ne dispense, à laquelle nulle autorité " fonctionnelle " ne saurait se substituer ». Il prend soin de préciser ce qu'il entend par filiation et paternité spirituelles :

« La filiation et la paternité spirituelles se produisent quand deux êtres, de familles spirituelles voisines, se rencontrent sur le plan de l'existence. Chacun se découvrant dans sa réalité profonde au contact de l'autre. Le plus ancien se retrouve dans le plus jeune qui, inversement, en recevant de l'autre, s'atteint en lui-même comme il n'aurait pas su le faire seul [16]. »

Cette paternité semble nécessaire pour que la proposition de la foi en la divinité de Jésus « qui ne peut être ni

16. *Introduction à l'intelligence du passé et de l'avenir du christianisme*, Aubier, 1970, pp. 77, 81.

acquise, ni reçue, ni possédée, ni communiquée comme les autres savoirs, parce qu'elle est d'une nature radicalement différente » prenne un sens réel chez le chrétien. Celui qui chemine vers ce sens y accédera d'autant plus profondément qu'il aura « déjà été transformé et comme religieusement engendré par une véritable paternité spirituelle. Que cet être rencontre dans ces conditions un croyant de sa famille selon l'esprit, l'ouvrant par ses confidences sur sa propre vie d'homme et de disciple, alors tout s'éclairera pour lui de façon nouvelle et il en viendra à affirmer la filiation divine de Jésus d'une tout autre manière que jadis et à lui donner une tout autre valeur ». « Plus un être est riche en possibilités humaines, plus son ascension spirituelle est délicate, plus aussi elle peut être féconde. S'il ne se laisse pas entraîner par les courants sociaux, politiques ou autres de son temps, elle se fera envers et contre tout, mais à travers quelles épreuves, après le piétinement dans combien d'impasses, sous quelles formes singulières et tourmentées, si elle n'est pas facilitée plus encore que guidée par la présence attentive et discrète d'anciens qui ont déjà parcouru une bonne partie de leur chemin avec une fidélité suffisante. Heureux celui qui rencontre à temps, parce qu'il sait le reconnaître, un spirituel de sa famille d'esprit pour s'ouvrir dès le début de sa vie religieuse à la liberté créatrice [17] ! »

Ce spirituel, qui jouera discrètement le rôle de père à son égard, vivra lui-même cette paternité comme un non-pouvoir, mais à travers lequel il trouvera aussi son plus haut accomplissement :

17. *Ibid.*, pp. 97, 339.

« Il n'est pas le créateur de celui qui reçoit de lui filiation mais seulement son inspirateur. En se révélant à lui il le révèle seulement à lui-même, non sans lui donner l'occasion de se défendre, de réagir, de s'affirmer, non sans le laisser seul sur le chemin difficile, périlleux, toujours imprévisible de son accomplissement. Par sa paternité, il prépare indirectement en son fils selon l'esprit l'avènement d'une nouvelle paternité qui prolongera la sienne, d'abord par l'extension de son influence, mais aussi et surtout par l'originalité d'un rayonnement spirituel propre au fils, dont lui-même n'est pas capable alors qu'il en est indirectement l'origine. Il entre ainsi dans une existence plus complète, elle qui déjà se suffisait à elle-même et semblait achevée. De cette manière l'homme qui s'est reçu en exerçant sa paternité s'accomplit par l'intermédiaire de son fils au-delà de ce que, sans lui, il aurait pu devenir[18]. »

Les disciples font surgir les maîtres !

Les esquisses qui précèdent suffisent, sinon à préciser les types de maîtres spirituels qui se développeront dans notre société, du moins à concevoir que l'archétype du Maître trouvera des formes inédites pour se perpétuer. Il n'est pas exclu qu'il s'incarne, par exemple, dans une communauté en tant que telle, ou dans la figure de certains thérapeutes qui, à travers les processus contrôlés

18. *Ibid.*, pp. 178-179.

d'un traitement, sauront faire passer quelque chose d'une sagesse aidant plus profond.

Restera toujours que le maître ne devient tel que par et pour le disciple. La vraie question, en définitive, n'est pas celle de savoir s'il y aura ou non des maîtres dignes de ce nom, c'est de savoir s'il y aura encore des êtres en quête de la vraie sagesse. Or, avons-nous dit en commençant, la souffrance de notre monde actuel nous accule à cette quête, et nous avons fait allusion à ceux qui, dans les générations récentes, la prennent de plus en plus au sérieux. Il faudra bien que pour eux se vérifie une fois encore la parole évangélique : « Demandez et l'on vous donnera ; cherchez et vous trouverez ; frappez et l'on vous ouvrira. Car quiconque demande reçoit ; qui cherche trouve ; et à qui frappe on ouvrira » (Mt 7, 7-8).

Comme le disait, il y a cent cinquante ans, en terre d'Islam, le sheïkh al'Arabî ad-Derquâwî : « Peu s'en fallait que la maîtrise spirituelle eût cessé de se manifester par manque de ceux dont le cœur est animé par un désir ardent de la suivre ; mais la Sagesse divine ne tarit jamais [19]. »

Albert-Marie BESNARD
† dominicain

19. Cité par T. BURCKHARDT, *Hermès, op. cit.*, p. 140.

LE MAÎTRE SPIRITUEL DANS LE ZEN

Une célèbre peinture du moine Sesshû (1420-1506) représente le patriarche Bodhi-dharma (Daruma), introducteur du *tch'an* (zen) en Chine, assis de profil en méditation, tandis que derrière son dos, à distance et à un niveau inférieur, se tient Eka (487-594), qui lui présente humblement la main qu'il vient de se trancher : l'hagiographie veut en effet que Bodhi-dharma ait repoussé avec tant de sévérité la prière d'Eka, de le prendre pour disciple, que celui-ci se sentit contraint à se mutiler pour prouver le sérieux de son engagement. Et Dôgen (1200-1253), l'un des plus éminents maîtres japonais, déplorait que la décadence des mœurs et des caractères ne lui permît pas d'imiter un maître chinois d'autrefois qui, pendant les longues séances nocturnes de méditation silencieuse, frappait « les moines qui s'endormaient à s'en casser le poing ».

De fait, la longue spatule avec laquelle on frappe, de nos jours encore, les disciples en séance de concentration (*zazen*) n'est pas seulement, au même titre que le gong en forme de poisson ou le bol à aumône, un objet pittoresque des monastères zen ; peut-être, avec sa dureté mêlée de souplesse, avec le caractère imprévisible de son entrée en action, sa brutalité, et surtout sa fonction : surprendre, heurter, ébranler, figurerait-elle assez adéquatement le maître spirituel dans le zen.

Instructeur et apprenti

Curieusement, si tous les livres sur le zen fourmillent d'anecdotes sur les maîtres, de recommandations héritées des maîtres, de références aux maîtres, ils ne comportent en général aucun examen explicite de leur rôle et de leur relation au disciple. Tout simplement, peut-être, parce que le recours à un maître est une chose qui va de soi : le zen, en effet, se pose d'abord en *pratique*. « On ne parle pas du zen, on l'expérimente », dit Thich Nhat Hanh[1], qui cite ce mot d'un maître vietnamien à propos de la doctrine : « Ce merveilleux morceau doit être joué ! » Pratique donc, mais pas au sens de la pratique chrétienne, participation à la liturgie ou charité, c'est-à-dire le fruit et le rayonnement de la foi ; le mot doit être pris au sens de *technique*, d'exercice physique et psychique. Or qui dit pratique, dit, en Orient, apprentissage sous un maître. En Chine comme au Japon, on le sait, tout art, toute « Voie » s'exercent au sein d'une école, en référence à une tradition, au contact direct d'un maître. Le zen n'est à cet égard qu'un cas parmi d'autres. D'autant que, à la différence de beaucoup d'autres sectes bouddhiques, dont l'enseignement est fondé sur l'interprétation de tel ou tel sûtra, c'est par le mépris qu'il affiche pour les livres et l'étude (avec une ostentation que démentent pourtant certains propos de grands maîtres, l'érudition de nombreux moines et l'immensité de la littérature zen) que le zen pose son origi-

1. Thich Nhat Hanh, *Clefs pour le Zen*, Seghers, 1973.

nalité. « Si, uniquement par la méditation assise (*zazen*), on a compris la chose essentielle (l'Éveil), on peut, même sans connaître un seul caractère d'écriture, se consacrer à l'enseignement de ses semblables », disait Dôgen[2] ; le grand patriarche Enô (638-713) fut de ces maîtres illettrés.

Autorité et soumission

Le maître joue donc dans l'une et l'autre secte zen le rôle capital de guide dans les deux pratiques fondamentales : la méditation assise (secte Sôtô) et la réflexion sur les « problèmes », les *kôan* ou paradoxes dont le disciple a d'ailleurs moins à chercher la résolution que la dissolution (secte Rinzai). Le disciple doit se plier aveuglément aux directives du maître, quitte à être ignoré, ou rabroué, ou vilipendé par lui. Soumission, non pas seulement pour la conduite à tenir (par exemple dans le choix des *kôan* à méditer) que dans la pensée, ou, plus exactement, dans le désapprentissage de la pensée. « Si le maître vous dit que les crapauds et les vers de terre sont des buddha, croyez malgré votre étonnement, et abandonnez votre ordinaire manière de les considérer » (Dôgen)[2]. En effet, l'acte même de se dépouiller de sa liberté et du droit de « conserver des idées personnelles » (Dôgen) est considéré comme un acte capital. L'obéissance diffère donc, semble-t-il, de celle qu'enseigne le christianisme, qui est reconnaissance que toute autorité vient de

2. *Le Bouddhisme japonais,* Textes fondamentaux, préface et traduction de G. Renondeau, Éd. Albin Michel, 1965.

Dieu, abandon fondé sur l'amour, soumission à une Volonté providentielle. Dans le zen, l'obéissance est, répétons-le, simple pratique de dépouillement visant l'éclatement de l'ego. C'est pourquoi, par ailleurs, le zen, avec la liberté absolue et le cynisme que lui confère une vision du monde qui nie la distinction entre les êtres, l'opposition entre le sujet et l'objet, entre l'être et le non-être, et qui rejette totalement, non seulement toute transcendance mais encore toute hiérarchie entre les personnes, écarte toute autorité qui prétendrait être absolue et se plaît à lancer des paradoxes comme ceux-ci : « Les sûtra ne sont que des torchons » ou « si vous rencontrez un buddha, tuez-le ; si vous rencontrez un patriarche, tuez-le ! »

De même, la brutalité du maître, les coups de spatule qu'il assène (ou fait assener par un moine chargé de cet office) ne sont pas des équivalents de la « discipline » ; disons qu'ils correspondraient plutôt à des électrochocs. Leur but est thérapeutique : la surprise, la douleur aiguë, le contact imprévu avec la réalité, l'attention soudain ramenée à la sensation pure font brutalement écrouler les fantasmes ou les constructions de l'intelligence, et il arrive que cela seul produise l'Éveil.

PÉDAGOGIE

L'apparente rudesse du maître, qui peut déconcerter le disciple, n'en cache pas moins une grande souplesse. Lisons encore Dôgen : « Que le supérieur d'un temple, un vénérable ou un moine éclairé donnent leur enseignement, ils doivent poursuivre leur enseignement avec bienveillance et sollicitude, même si leurs disciples ne sont pas raisonnables. Même s'ils battent celui qui a mérité d'être battu, s'ils grondent celui qui a mérité d'être grondé, ils ne doivent pas le faire avec des paroles désobligeantes [3]. » Le maître se fera attentif aux moindres gestes du disciple : « Le maître zen observe son élève en silence, tandis que celui-ci essaye d' « allumer » son existence. L'élève peut avoir l'impression que l'on ne s'occupe pas assez de lui ; mais en réalité, ses manières et ses actes ne peuvent échapper à l'observation du maître. Celui-ci doit savoir si son élève est ou n'est pas « en éveil ». Si par exemple l'élève ferme la porte d'une façon bruyante il prouve ainsi qu'il n'est pas en conscience de l'être, car, au monastère, on doit être conscient de tout ce que l'on fait. La vertu ne réside pas exactement dans le fait de fermer doucement la porte, mais dans la conscience du fait que l'on est en train de fermer la porte. Dans ce cas, le maître appelle simplement son élève et lui rappelle qu'il doit fermer doucement la porte, qu'il lui faut « avoir son esprit » avec soi [4]. La patience du maître doit être infinie, sa finesse psychologique aussi, pour déterminer le degré de fatigue ou de maturité de l'élève, et adapter sa méthode au tempérament de chacun. Il écoutera avec attention l'exposé des difficultés du disciple, même les plus triviales : le zen ne dissociant pas l'esprit et le corps, les souffrances et les bonheurs physiques seront par lui analysés et utilisés. Pendant les consultations, « il joue le double rôle du

3. *Le Bouddhisme japonais, op. cit.*
4. Thich NHAT HANH, *Clefs pour le Zen, op. cit.*

père et de la mère. Il est tour à tour le père strict et réprobateur qui stimule et châtie, et la mère douce et aimante qui réconforte et encourage[5] » ; l'expression rappelle ce mot de Dôgen : « Les moines des monastères des grands Song célébraient une cérémonie le jour anniversaire de la mort d'un maître, mais on ne voit pas qu'ils aient fait de même pour leurs parents[6]. » Le maître est ici plus qu'un père, et cela en pays confucéen !

Enfin, le maître possède le discernement spirituel. Le but que vise le zen, l'Éveil, expérience décisive (encore que renouvelable), n'est authentifié qu'une fois reconnu par le maître, quand le disciple s'est vu confirmer par lui qu'il ne s'agissait pas d'une illusion. « Imaginez quelqu'un – dit un maître – qui, tout seul, cherche des diamants dans les montagnes. S'il n'a jamais vu un vrai diamant et qu'il trouve un morceau de quartz, il peut croire qu'il a trouvé un authentique diamant. Pour en être sûr, il faut qu'il ait recours à quelqu'un qui connaît le diamant[5]. »

Rayonnement spirituel

Le maître n'est donc pas seulement un éducateur, un médecin ou un psychiatre. Les témoignages des disciples, anciens ou modernes, montrent son ascendant spirituel. « L'homme " éveillé " se reconnaît à des signes particuliers. D'abord la liberté : il ne se laisse pas

5. Ph. Kapleau, *Les trois piliers du Zen,* Stock, 1972.
6. *Le Bouddhisme japonais, op. cit.*

influencer par les vicissitudes de la vie, par la peur, la joie, l'anxiété, le succès, l'échec, etc. Ensuite, la force spirituelle, que révèlent le calme, le sourire ineffable et la sérénité. On peut dire, sans exagération, que le sourire, le regard, la parole et l'action de l'homme éveillé constituent le langage de l'Éveil. Ce langage est employé par les maîtres zen pour guider les pratiquants[7]. » Une communion spirituelle s'instaure entre maître et disciple. Dôgen racontait : « Les anciens disaient : " Il en est de l'intimité avec des hommes bons comme de la marche dans le brouillard et la rosée : bien que les vêtements ne soient pas trempés, ils deviennent de plus en plus humides. " Cela signifie : quand on fréquente des hommes bons, on devient bon sans s'en apercevoir. C'est ainsi que jadis, un jeune garçon qui servait le maître Kiu-tche parvint à l'Illumination bien qu'on ne sût quand il étudiait ou quand il pratiquait, parce qu'il vivait auprès de cet homme qui avait longtemps étudié[8]. » En fait, ce maître brutal, qui tourne le dos au disciple, qui le frappe, est, au plus profond de lui-même, en communion intime avec lui, comme « l'eau qu'on mêle au lait » (Dôgen)[9].

Continuité de la tradition

Une fois le disciple parvenu à l'Éveil, le maître peut lui donner habilitation à prendre lui-même des disciples.

7. Thich Nhat Hanh, *op. cit.*
8. *Le Bouddhisme japonais, op. cit.*
9. Ph. Kapleau, *Les trois piliers du Zen, op. cit.*

Le maître joue en effet un rôle que d'autres religions distinguent de la direction des âmes : la capacité de donner une investiture qui rend le disciple héritier officiel de la tradition et responsable à son tour de sa transmission. Les maîtres zen d'aujourd'hui se réclament des premiers patriarches. Et le disciple Eka, que nous voyions en commençant solliciter la direction de Bodhi-dharma, devint le deuxième patriarche du tch'an. Guide vers l'Éveil, le maître est donc aussi le dépositaire d'un héritage et le garant d'une continuité spirituelle.

Jacqueline PIGEOT

LE GURU DANS LA TRADITION HINDOUE

Il est plusieurs termes pour désigner le maître spirituel dans l'hindouisme : le plus connu est celui de *guru*, qui n'est originellement qu'un adjectif signifiant « lourd », puis par extension : « important », « respectable ». Le guru est l'homme de poids, dont les avis et les enseignements sont à prendre au sérieux parce qu'ils représentent la tradition acceptée. Un autre terme fréquemment utilisé est *âcârya*, celui qui connaît la conduite, âcâra, et peut donc en transmettre les règles. Ces appellations ne nous conduisent pas apparemment au-delà du domaine des relations sociales. Il est certain cependant que l'usage les a réservées à celui qui est maître en conduite et en connaissance spirituelles, soit parce qu'il est un *yogin* ayant réalisé la « jonction » intérieure et sachant en enseigner l'art à d'autres, soit parce qu'il est un *rishi*, un voyant, capable de transmettre son expérience directe. Le mot *guru* s'est chargé de toutes ces connotations, à tel point que son sens originel a été effacé par la surimposition d'une étymologie artificielle : le *guru* est celui qui écarte (*ru*) les ténèbres (*gu*).

La relation maître-disciple est fondamentale dans l'hindouisme, dans la mesure où celui-ci se présente comme une tradition continue, reposant sur des textes sacrés (Çruti) transmis par les *rishi*, sages qui ont entendu le Veda à l'origine du temps. Le mot même de

Çruti signifie audition : cette audition ne peut être connue que par l'écoute, et le maître est celui qui est capable de la réciter exactement, avec ses intonations précises. Le premier acte du disciple est d'écouter (*çravana*), puis il réfléchit, mémorise et assimile le texte (*manana*), enfin il médite et contemple (*nididhyâsana*). Les plus anciennes Upanishad portent témoignage de l'importance de cette transmission orale : elles insistent sur la nécessité des prononciations justes, des récitations parfaites. Elles mettent en évidence l'existence de plusieurs traditions, elles donnent des lignées de maîtres et de leurs disciples.

Le Maître comme enseignant

Les Upanishad donnent aussi de fréquents exemples de l'enseignement pratiqué par le maître, connaisseur du Veda. Nombreux sont les dialogues mettant en scène un sage fameux que tel roi vient de loin interroger. Parfois le dialogue est transposé au plan des dieux et c'est Indra qui interroge Prâjapati, le Père des créatures. Parfois, il est limité à une conversation intime, tel ce dialogue entre Yâjnavalkya et son épouse Maitreyî, au moment où le sage lui annonce sa décision de la quitter pour la vie d'ermite dans la forêt. Parfois encore l'on voit une grande assemblée de brahmanes réunis pour une compétition de savoir. Le thème commun de ces dialogues est la recherche de la nature dernière des réalités, et le moyen en est une mise en corrélation des divers plans de l'expérience, celui de la nature physique, celui du monde des sacrifices rituels, celui du champ psychologique. Le lien essentiel de ces différents niveaux de réalité est nommé le Brahman, réalité ultime, lien de l'univers, correspondance entre le visible et l'invisible : il est la puissance qui explique l'efficacité du sacrifice et le support du microcosme que constitue l'être vivant. Le maître qui l'emporte dans les discussions brahmaniques (brahmodya) est celui qui connaît les corrélations et les met en évidence par des exemples ; il est aussi celui qui ordonne les correspondances en une vision hiérarchique, partant des plus évidentes jusqu'aux plus subtiles, faisant pénétrer progressivement son auditeur jusqu'aux couches les plus intérieures de l'être, jusqu'à son essence, *âtman*, ce sujet qui réfléchit son existence et peut la transcender.

La méthode s'apparente à une maïeutique : le plus souvent, le maître propose une définition énigmatique du Brahman, qui provoque les questions de ses auditeurs. La réponse est déconcertante, parce qu'elle est limitée et semble restreindre le champ de la réflexion à un exemple donné. De cette limitation même surgissent de nouvelles questions qui font progresser le dialogue et l'intériorisent : le but est d'amener l'interlocuteur à prendre une vision aussi large que possible de l'expérience commune, et d'éprouver en même temps qu'il peut la comprendre en un seul acte de pensée. Cette expérience, unificatrice du monde connu et de lui-même, lui livre le lien secret des réalités, et il éprouve en lui l'ultime correspondance, celle du Brahman et de l'âtman, de la réalité dernière de l'univers et celle de son être.

Au cours de la progression toutes les correspondances ont été énoncées en termes d'identités, identités qui ne pouvaient cependant être que partielles et sont de ce fait immédiatement niées. Mais l'identité ultime, celle du Brahman et de l'âtman reste posée comme une question fondamentale à toute la pensée indienne. Tous les systèmes s'accordent à ne pas l'interpréter en un sens panthéiste, suivant en cela fidèlement le mouvement même de l'enseignement upanishadique, mouvement de dépassement dialectique et d'intériorisation. Deux voies s'ouvrent : l'une est apophatique, et elle consiste à nier toutes les limitations qui s'opposeraient à une identification du sujet et de l'Absolu. Ce n'est pas l'âtman individuel qui est identique au Brahman, mais le sujet délivré de tous les conditionnements qui le font apparaître individuel, jusqu'à sa condition de sujet différent de l'objet de sa connaissance. L'autre voie maintient la différence de l'âtman et du Brahman, et interprète cette identité en termes de relation: le « tu es Ceci » des Upanishad signifie que Dieu est l'âme de notre âme, qu'il la soutient dans son essence dans une éternelle dépendance de son amour, mais non qu'il y a identité entre les deux réalités ultimes.

Cette dernière position est celle qui met le plus souvent l'accent sur le rôle d'enseignement du maître : il s'agit pour lui d'enseigner l'unité des Veda, de montrer que tous les textes convergent vers une harmonie totale qui est connaissance parfaite de la grandeur de Dieu. Les divergences entre les textes sont réduites grâce à des exégèses subtiles : il faut montrer que toutes les phrases, tous les mots, toutes les syllabes du Veda expriment les attributs infinis de Dieu. Le but de cet enseignement n'est pourtant pas d'ordre purement intellectuel : la connaissance de la grandeur de Dieu éveille dans le disciple la *bhakti*, la dévotion, et cette dévotion illumine à son tour sa connaissance. Le bon guru conduit ainsi son disciple, selon ses aptitudes, dosant les temps d'étude et de méditation, pour le faire croître parallèlement en connaissance et en amour. Mais c'est la grâce divine qui accomplit cette croissance, le guru n'est qu'un instrument de son action. Il est surtout important qu'il soit compétent en interprétation védique : Madhva, l'un des représentants les plus affirmés de cette tendance donne à son école une grande latitude dans le choix d'un bon maître ; s'il n'en est pas sur son chemin, mieux vaut étudier seul, en s'aidant des avis des gens pieux et sensés. Si l'on a un maître insuffisant, il faut absolument le quitter pour un meilleur, et en ce cas, ajoute-t-il, il n'est pas besoin de demander au premier sa permission.

Le Maître comme guide d'expérience

Mais la voie apophatique conduit à une autre conception du guru et de son enseignement. Elle peut tout aussi bien que la précédente s'enraciner dans les Upanishad. Celles-ci ne procèdent pas uniquement par jeu de correspondances positives : elles déclarent elles-mêmes que ces correspondances sont partielles, et plus encore que toute parole est inadéquate à exprimer la réalité suprême. Nombreux sont les beaux passages dans lesquels les textes invitent à leur propre dépassement, car ce n'est pas par l'étude, par le raisonnement, la parole et la connaissance que l'on accède à l'expérience. Celle-ci surprend par son immédiateté, comme surprend l'éclair. On ne peut rien en dire sinon : ceci « est ». Elle atteint un domaine « d'où retombent les paroles et l'esprit », impuissants à y pénétrer. C'est pourtant un domaine lumineux, rayonnant d'une autre lumière que celle du soleil ou des étoiles, lumière qui est le principe duquel toute autre lumière tient son éclat.

Il est indéniable que ces notations laissent entrevoir la fulgurance d'une expérience de nature mystique, incommensurable à toute connaissance intellectuelle, qui est « nuit » par rapport à elle, et pourtant « jour » pour le sage, comme le dit la Bhagavad-gîtâ. Et cette expérience est connue par ses effets de paix et de béatitude : c'est à ces mêmes signes que l'on reconnaît celui qui l'a éprouvée et s'est établi en elle. Tel est le vrai guru, qui n'enseigne que par ce qu'il est, et qui à la limite n'enseigne que par le silence. C'est un des noms fréquemment donnés aux sages que celui de *muni* « silencieux », et c'est ce silence qui est reçu comme l'instruction suprême, comme par exemple dans la représentation de Çiva dite *Dakshinamûrti*, où l'on voit le dieu sous la forme d'un jeune ascète en méditation enseignant les rishi par sa seule présence silencieuse. Tout près de nous un Râmana Mahârshi se bornait à ramener sans cesse ses disciples à la seule question : « qui suis-je ? » et beaucoup de ceux qui l'ont visité et l'ont trouvé lié par de longs vœux de silence, rapportent le rayonnement de son regard qui semblait dire à chacun : « là où je suis tu viendras un jour », comme le témoigne le récit d'une de ces rencontres dans la correspondance du P. Monchanin.

Dans cette ligne spirituelle la relation maître-disciple est tout orientée vers l'expérience que le disciple doit atteindre, et que nul ne peut faire à sa place. Le rôle du maître est d'écarter les obstacles, et le plus important de tous, le sentiment du moi, l'attachement à l'égoïsme spontané comme l'affirmation de la personnalité. Le yoga et ses exercices sont le moyen de ce détachement progressif comme le sont les diverses épreuves auxquelles le guru peut soumettre son disciple. Le but visé est une purification si radicale qu'elle ne doit plus laisser place aux sentiments liés à la conscience de soi. Dans l'expérience recherchée toute distinction disparaît, et comme le dit l'hymne de Çankara à Dakshinamûrti, les relations de père et fils, de maître et disciple, y sont abolies. Le maître et le disciple se séparent une fois obtenue la « réalisation », apparemment devenus totalement étrangers, en réalité identifiés l'un à l'autre dans la conscience impersonnelle du Brahman en laquelle ils sont tous deux immergés.

Le Maître comme médiateur

Mais cette voie est austère et longue, comme l'est d'ailleurs la précédente. L'aspiration plus commune se cherche des médiations et des assurances de succès plus rapide sur la voie du salut. Le personnage du guru prend alors une valeur quasi sacrale : il est le canal par lequel la puissance divine peut atteindre les hommes, parfois de la manière la plus subite et la plus inattendue. La seule rencontre de son regard, le seul contact de sa main ou de son pied peuvent suffire à une conversion radicale. Le guru n'est plus seulement celui qui a l'expérience du divin et peut en indiquer le chemin, il est capable de transmettre comme matériellement cette expérience.

De telles notions plongent loin dans les textes anciens de l'hindouisme, surtout dans les textes d'inspiration plus populaire, légendes, récits épiques, mythes des *Purâna*. Cette tradition magnifie la puissance de l'ascète, qui a acquis par son effort, *tapas*, une concentration prodigieuse d'énergie, telle qu'elle inquiète les dieux eux-mêmes, jaloux de leur pouvoir. Ils envoient au rishi diverses tentations : il suffit de peu de choses pour lui faire perdre en un instant le fruit d'années d'ascèse, un relâchement de la concentration mentale, ou un mouvement d'irritation ; le rishi maudit l'importun et perd du même coup son pouvoir. Mais sa malédiction porte ses fruits sans qu'il y puisse rien, car sa parole est, par le tapas, devenue efficace en elle-même.

C'est justement un des attributs du vrai guru que d'être satyavâc, « celui dont la parole est vraie », et ceci ne signifie pas simplement que sa parole est véridique, mais qu'elle réalise ce qu'elle dit. Elle porte en elle une puissance active qui opère ses effets, dans le monde, comme dans ses disciples. Cette idée est sous-jacente aux textes qui insistent sur l'exactitude des prononciations dans la récitation védique : c'est l'ordre de l'univers qui serait menacé par une récitation imparfaite. En revanche le seul fait pour le disciple d'écouter les écritures d'un maître compétent produit en lui l'effet bénéfique porté par les textes. Ici s'articule la voie courte qui permettra au maître de transmettre à son disciple le fruit de son effort spirituel : il lui donnera un *mantra*, une formule, qui est conçue comme une sorte de lien magique entre les deux consciences et aussi comme la potentialité, le germe de l'expérience que le disciple doit atteindre, à force de la répéter.

C'est dans cette ligne que la tradition spirituelle de l'Inde a été le plus visiblement exposée à toutes sortes de déviations. Elle est à l'origine de la foi superstitieuse dans les pouvoirs du guru, divinisé en de longues litanies, de l'obéissance aveugle à ses volontés au-delà de toutes limites raisonnables ou morales. Mais c'est dans cette ligne aussi que se trouvent les intuitions les plus profondes sur la nature de la relation entre maître et disciple.

Les écoles de bhakti en effet conçoivent la relation de l'âme à Dieu comme une relation d'amour et de grâce, relation éminemment personnelle. Or ces mêmes écoles parlent de la bhakti vis-à-vis du guru et de la « grâce du guru » : elles ne peuvent en aucun cas mettre ainsi le guru au rang de Dieu, car elles sauvegardent avant tout la transcendance divine. Mais elles introduisent dans la relation même de l'âme à Dieu, et comme à l'intérieur de celle-ci, de nouvelles relations qui sont des relations personnelles, à travers lesquelles s'exerce l'action divine : le maître est pour le disciple à la fois l'instrument et le représentant de Dieu. Il est investi de ce caractère sacral par une initiation, reçue et transmise par des rites qui symbolisent et effectuent son rôle de médiateur.

Dans le Çaiva-siddhânta, rites et doctrine convergent à faire du guru un canal de l'action divine. La cérémonie d'initiation (*dikshâ*) exprime clairement la transmission d'un pouvoir venu de Dieu : lorsque le guru pose la main sur son disciple pour lui conférer l'initiation, cette main n'est plus la sienne, mais celle même de Çiva. Les rites préalables ont fait de sa main le support de la descente divine, la consacrant comme sont consacrées les *mûrti*, ces représentations de pierre ou de métal auxquelles est rendu le culte quotidien. Tout vient de la première initiative divine, dans la relation spirituelle entre maître et disciple : ce dernier ne doit pas croire qu'il cherche et trouve par ses propres efforts le maître qui lui est destiné ; c'est Çiva lui-même qui vient à lui, à travers le guru qu'il lui a fait rencontrer. Parfois le dieu apparaît directement à son fidèle qui croyait attendre en vain un maître. Car c'est Dieu qui cherche les âmes, affamé de donner sa grâce, comme la vache dont le pis est gonflé de lait cherche et appelle son veau.

Dans le vishnouisme de l'école de Râmânuja, l'accent est davantage mis sur la personne du maître, qui est plus qu'un simple canal de la grâce divine : la voie courte vers Dieu est la voie de l'abandon, *prapatti*, et cet abandon est conçu comme une donation de soi dans laquelle Dieu accepte de prendre en charge celui qui se déclare sien. De même qu'un homme, en temps de famine, peut aller se donner comme esclave à celui qui en retour le nourrira, de même l'âme dans son impuissance totale « dépose son fardeau » en Dieu qui se trouve lié par cet acte, obligé de la conduire au salut. Dans la cérémonie de remise de soi, samâçrayana, le maître joue le rôle d'un témoin : il présente son disciple, prie pour lui, demandant le pardon de ses fautes antérieures, lui confère un nouveau nom qui se termine par le mot *dâsa*, esclave, pour exprimer l'état de sa consécration. Mais cet acte rituel ne lie pas seulement le disciple à Dieu, il produit un lien entre toute la communauté de ceux qui sont ainsi consacrés, et plus particulièrement entre le maître et son disciple : une solidarité spirituelle est créée, car la prapatti du disciple s'appuie sur celle de son maître, son abandon à Dieu a pour gage celui de son maître. Celui-ci porte le fardeau de ses disciples, et le remet avec le sien, entre les mains de Dieu : il est, dit

Vedânta Deçika, comme ce lion puissant qui saute de colline en colline, et emporte avec lui tous les petits parasites accrochés à sa toison.

La médiation du maître prend ici un aspect tout à fait nouveau par rapport à l'ensemble de la pensée indienne : celle-ci est dominée par le postulat de la réincarnation, selon lequel chacun forge de vie en vie sa destinée par son *karman*, c'est-à-dire par ses actes bons ou mauvais. Nul ne peut rien pour autrui, en toute rigueur. Cette vision du monde moral tend à éliminer toute relation personnelle entre les êtres, autrui n'étant pour nous que l'instrument d'un destin que nous devons de toute façon subir. Mais la relation maître-disciple porte en elle l'exigence de la relation unique, et c'est bien ce que l'on voit se dessiner au terme de cette description où le guru est médiateur, consacré dans cette fonction, réellement capable de prendre en charge son disciple, pouvant même souffrir de ses péchés, pouvant intercéder pour lui. Il est dit aussi dans les textes de l'école de Râmânuja que le disciple doit prier pour son maître, et qu'il a le devoir de lui faire des reproches s'il le voit s'écarter du droit chemin. La relation sacralisée échappe à la contingence, elle se trouve comme fixée dans l'absolu : Madhva voit la hiérarchie des êtres dans le monde du salut comme une hiérarchie de maîtres et de disciples continuant à recevoir les uns par les autres la lumière divine.

La loi du karman est comme mise à part en cette relation privilégiée, et ceci ne laisse pas d'être surprenant. Dire que tout s'explique par la grâce divine est insuffisant, car la grâce elle-même ne peut rien contre le karman mérité par un être. L'explication, semble-t-il, réside dans le fait que la relation maître-disciple est déjà comme partiellement soustraite dès ce monde au pouvoir du karman : l'un et l'autre en sont à leur dernière existence, et l'un et l'autre jouiront du salut dès leur mort. Cette conviction rend à la personne la densité que la croyance aux réincarnations lui enlevait, lui confère une unicité que la réflexion hindoue ne pouvait atteindre que par le biais de la relation personnelle et de la solidarité spirituelle du maître et du disciple.

Suzanne SIAUVE

LA DIRECTION SPIRITUELLE EN ISLAM

La relation entre directeur spirituel et dirigé tient une place importante dans la vie spirituelle du musulman. Elle est spécialement cultivée et même codifiée dans la tradition de la mystique musulmane, le soufisme, et tout particulièrement dans ses représentants actuels, les Confréries religieuses musulmanes. Mais, sur ce point comme sur un plan plus général, ce serait fausser les perspectives que de réduire la vie spirituelle musulmane au Soufisme et aux Confréries. C'est d'abord au sein même de la doctrine de l'Islam, représentée par le Coran et la vie de la Communauté, qu'il faut voir la direction spirituelle. Même si le Maître *(Cheikh)* prend une place de plus en plus envahissante aux yeux de son disciple *(murîd)*, il ne sera que le relais de la guidance *(hudâ)* qui vient de Dieu lui-même, de sa Parole révélée, le Coran, de l'exemple du Prophète Mohammed et de la « correction fraternelle » *(nasîha)*.

Dans le Coran et la vie de la communauté

L'Islam se veut essentiellement centré sur Dieu et c'est de lui que vient toute guidance vers la « voie droite » qui mène à lui. La prière mille fois répétée de la *Fâtiha*, la première sourate du Coran, comporte cette demande : « Dirige-nous vers la voie droite », qui fait échapper à la colère divine et à l'égarement. Le Coran ne cesse d'affirmer que Dieu seul guide le croyant vers la vérité ; il guide et égare qui il veut ; il suffit comme guide. Le croyant qui accepte cette guidance divine devient le bien dirigé *(al-muhtadi)*, et l'Islam se définit en tant que religion comme la bonne guidance, *al-hudâ, al-rushd.*

Cette guidance divine se fait connaître essentiellement par le Coran, Parole divine, qui est défini à son tour « guidance dans la voie droite », comme l'avaient été avant lui la Torah et l'Évangile. Les exemples des prophètes antérieurs sont une illustration de la vie sous cette guidance divine. Le Prophète Mohammed est par excellence le « bien-dirigé » par Dieu et donc le guide des croyants. Il fut, après Abraham, « le premier des soumis à Dieu (musulmans) » (Coran 6, 163), et est proposé, avec Abraham encore, comme « un beau modèle » *(uswa hasana)* pour les croyants (Coran 33, 21 ; 60, 4).

Après la mort de Mohammed, ce rôle de guide de la Communauté sera assumé par ses successeurs, les califes, ou « Imâm-s ». Mais très vite ces chefs plus temporels que spirituels furent loin de donner le bon exemple, au grand scandale des pieux croyants. Et les Hadiths (paroles attribuées à Mohammed) qui exigeaient l'obéissance au calife comme à Dieu et à son Prophète : (« Qui m'obéit obéit à Dieu ; qui me désobéit désobéit à Dieu ; qui obéit à l'Imâm m'obéit ; qui désobéit à l'Imâm me désobéit ») avaient une visée trop politique. Le rôle de conscience de la Communauté, d'interprète de la volonté divine et de modèle de la fidélité à cette volonté passa aux savants en sciences religieuses, les *'ulama*-s et les *fuqahâ*-s. Le « savant qui met en pratique sa science » *(al-'âlim al-'âmil)* devient le modèle de référence. Bien des juristes, des juges, des savants se montrèrent incorruptibles face aux pressions du pouvoir et aux sollicitations intéressées et c'est parmi eux que se recrutèrent les premiers mystiques musulmans. Mais il faut reconnaître que la majorité de cette élite intellectuelle se contenta d'une casuistique peu nourrissante pour l'âme, ou même « utilisèrent leur savoir pour acquérir les faveurs du pouvoir et par avidité des biens temporels ; ils perdirent ainsi la faveur du peuple, qui se détourna de leur savoir après avoir constaté le mauvais usage qu'ils en faisaient ». Tel est le jugement sévère de Hasan al-Basri sur les savants de son temps, le premier siècle de l'Islam. Hasan al-Basri représente lui-même, d'ailleurs, la nouvelle relève en direction spirituelle, car il est considéré comme « le patriarche de la mystique musulmane ».

Mais, avant de suivre cette nouvelle lignée de direction spirituelle, il faut noter un aspect de la direction spirituelle qui est essentiel en doctrine musulmane. L'Islam est indissociablement religion et communauté. Si l'orientation de la vie spirituelle vient d'abord de Dieu, de sa Parole contenue dans le Coran et de ceux qui sont chargés de la transmettre et de l'interpréter, le Prophète et les élites religieuses, elle doit venir aussi de la *Communauté des croyants*. Tout musulman, et pas seulement le calife ou les autres autorités, est responsable de la foi et de la vie religieuse de ses frères. Tout musulman doit « ordonner le bien et interdire le mal ». C'est un des dogmes de la foi musulmane et les premiers théologiens, les Mo'tazilites, en feront une de leurs cinq thèses essentielles. Cela s'appelle aussi le devoir de « bon conseil » *(nasîha)*, qui correspond à notre « monition fraternelle ». Un hadith célèbre, le 7e des quarante Hadiths de Nawâwi, le définit ainsi : « La religion, c'est le bon conseil (donné à son frère pour rappeler les droits) de Dieu, de son Livre, de son Prophète, des Imâm-s et de l'ensemble des musulmans. » Chaque musulman doit donc veiller à la conduite de son frère, fût-il le calife, et le remettre dans la bonne voie s'il s'est égaré. Si ce pécheur est un gouverneur ou même le calife, la « remontrance au prince » ne va pas sans dangers. Mais nombreux furent les pieux musulmans à les affronter. Ainsi Abû Dharr, un ascète de la première génération, face au calife Mo'awiya, Ibn Hanbal, le grand juriste, face aux califes mo'tazilites, et toujours Hasan al-Basri. Consulté par le gouverneur de l'Irâq qui avait reçu du calife omeyyade de Damas, Yazîd, l'ordre d'exécuter des prisonniers, il lui répond : « Crains Dieu et non le calife. Tu ne dois pas obéissance à une créature qui désobéit à Dieu. Examine la lettre de Yazîd et confronte-la au Livre de Dieu. Ce qui s'accorde avec lui, fais-le ; ce qui ne s'y accorde pas, ne le fais pas. Il vaut mieux obéir à Dieu qu'au calife et au Coran qu'à la lettre du calife ». Le même Hasan al-Basri osera tenir tête au terrible Hajjâj, gouverneur précédent de l'Irâq, et lui reprocher sa conduite sanguinaire, face au cuir et au glaive que Hajjâj avait fait préparer pour Hasan. Ému par son courage, il lui offrit une robe d'honneur.

Cependant, les âmes musulmanes éprises de vie spirituelle se trouvèrent très vite sans autre guide que le Coran et leur inspiration personnelle, devant les défaillances des élites officielles ou érudites. Pendant les trois premiers siècles, les « spirituels » auront d'abord à se frayer leur propre voie. Mais, peu à peu, les relations vont se nouer entre eux dans le style de l'entretien spirituel ; puis naîtra la relation maître-disciple, qui aboutira à un noviciat plus ou moins organisé.

Dans le soufisme des premiers siècles

Le courant de spiritualité destiné à devenir cette étonnante aventure du soufisme commence bien dès le premier siècle de l'Islam (VIIe-VIIIe siècle), mais sous une forme diffuse et quelque peu anarchique. C'est d'abord une réaction ascétique contre l'enrichissement et les excès qui suivent les grandes conquêtes. Les musulmans pieux prônent le détachement des richesses, la fuite du monde, et les hadiths fleurissent recommandant la pauvreté, le jeûne, la prière et même le célibat. Les partisans de cette voie suivent chacun leur inspiration, à partir d'une lecture du Coran sélective, privilégiant les versets spirituels, et intériorisante, ainsi que du choix (ou de l'invention) de hadiths dans le même sens. Ils ne se distinguent pas encore de l'ensemble de la Communauté et se veulent de simples musulmans, plus fidèles que les autres aux valeurs spirituelles de l'Islam. Certains, cependant, commencent à revêtir le froc de laine blanche, imité des moines chrétiens, et d'où viendra le nom de leur tendance, le soufisme (*tasawwuf* : se vêtir de laine, *sûf*). Mais, tout naturellement, ils se sentent en communion entre eux et éprouvent le besoin de se rencontrer pour s'entraider et échanger leurs expériences.

C'est ainsi que la « direction spirituelle » commence

en Islam. Non pas une relation de maître à disciple, mais une émulation mutuelle entre gens qu'anime une même tendance spirituelle. On voit ainsi se former, au cours du IIe siècle (VIIIe-IXe), des « cercles » *(majâlis)* de musulmans pieux, souvent suscités par une personnalité dominante : à Basra autour de Hasan al-Basri, en Syrie avec Ahmed Antaki, au Khorâsân (S.-E. de la mer Caspienne) avec Ibrâhîm b. Adham. Râbi'a, l'admirable femme « chantre du pur amour de Dieu », relevait du cercle de Basra. Par son rayonnement involontaire, elle attirait à elle les visites de ses « confrères ». Elle échangeait avec eux questions et réponses, et c'est par ces dialogues qu'on a pu connaître son expérience, conserver et transmettre oralement ses sentences. Ainsi, celle-ci : « Une quantité de saintes gens vinrent trouver Râbi'a. Elle demanda à l'un d'eux : – Toi, pourquoi adores-tu Dieu ? – Parce que je crains l'enfer. Un autre répondit : – Moi, je l'adore par crainte de l'enfer et par désir du paradis. Râbi'a dit alors : – Quel mauvais adorateur que celui qui adore Dieu par espoir d'entrer au paradis et par crainte de l'enfer ! Et s'il n'y avait ni paradis ni enfer, n'adorerais-tu pas Dieu ? Ils lui demandèrent : – Et toi, pourquoi adores-tu Dieu ? – Je le sers pour lui-même ; ne me suffit-il pas qu'il me fasse la grâce de m'ordonner de l'adorer ? Et elle ajouta : – Mon Dieu ! Si je t'ai adoré par crainte de l'enfer, brûle-moi à son feu ; si c'est par désir du paradis, interdis-le-moi ! Mais si je ne t'ai adoré que pour toi, alors ne m'interdis pas de voir ta face ! »

Précisément, c'est avec Râbi'a qu'on voit naître une nouvelle forme de direction spirituelle : le *service d'un maître* reconnu. Râbi'a, en effet, avait une servante,

Abda, qui dialoguait avec elle et qui nous a transmis une bonne partie de ce que nous connaissons de sa maîtresse. Au IIIe (IXe) siècle, le procédé va devenir systématique. C'est l'époque où le soufisme commence à se structurer : les « cercles » libres d'amis voués chacun pour soi à la recherche spirituelle se transforment en *écoles* particulières, avec un chef d'école et ses disciples, avec leur doctrine, de plus en plus influencée par la philosophie hellénistique, leurs rites, en particulier l' « oratorio spirituel » *(samâ')*, leur vêtement, le froc de laine blanche... On compte ainsi l'école d'Égypte, avec Dhû l-Nûn al-Misri, celle de Bagdad avec Muhâsibi, Nûri, Hallâj et le chef de l'école, Junayd, et celle du Khorâsân, avec Ibn Karrâm, Yahyâ Râzi, Tirmidhi, Sahl Tostari et Bistâmi.

Ces écoles sont encore assez souples, et le rôle du chef d'école est surtout de guider l'expérience personnelle de chaque disciple, qui reste fondamentale. Pas de méthode universelle et efficace, pas de manuels ni de textes écrits sinon le Coran. Le maître connaît la tradition orale des mystiques antérieurs et y choisit les sentences qui conviennent à la phase où en est le disciple. Son rôle est surtout d'assurer les bases doctrinales de l'expérience spirituelle et d'en contrôler le déroulement. Car on est conscient des dangers qui menacent l'expérience mystique. Celle-ci connaît en effet, à cette époque, des développements surprenants, avec Bistâmi et Hallâj en particulier, allant jusqu'à une certaine identification avec Dieu lui-même. Or l'orthodoxie officielle des *fuqahâ* (juristes) est sourcilleuse et le bras séculier est à son service. Hallâj paiera son audace de sa tête. Mais le danger est à l'intérieur de l'expérience elle-même, qui, plus elle est tendue et élevée, peut d'autant se dévoyer dans l'illusion ou la perversion. On verra certains illuminés chercher l'humiliation et le blâme en commettant publiquement des actes infamants *(malâmatiyya)*; d'autres prétendre que l'union à Dieu permet de transcender la Loi de Dieu et toute morale (antinomistes; cf. le « *Ama et fac quod vis* » dévoyé). Or une expérience authentique ne s'apprend pas. Elle se vit sous le regard d'un homme qui l'a déjà vécue lui-même. C'est pourquoi le candidat à la vie mystique commence par s'engager comme serviteur *(khâdim)* d'un maître. Il vit chez lui, lui rend les services matériels dont il a besoin, parfois se marie avec une de ses filles, et surtout le regarde vivre, prier, converser dans son « cercle », et peut l'interroger sur ses propres difficultés.

C'est le cas, entre bien d'autres, du célèbre Hallâj (858-922). A l'âge de seize ans, il entend l'appel à la vocation mystique. Pendant vingt-quatre ans, il fera son « noviciat » au service de trois maîtres successifs : chez Sahl Tostari, en Iran, pendant deux ans, où il apprend à choisir les passages du Coran et du Hadith qui sont ouverts à une interprétation spirituelle; ensuite à Bagdad, d'abord chez Makki, pendant deux ans encore, où il apprend que l'observation stricte de la Loi religieuse et la méfiance dans la recherche des états spirituels pour eux-mêmes sont les conditions indispensables à une expérience authentique; enfin, chez Junayd, le chef de l'école de Bagdad, où il restera pendant *vingt ans* et recevra de ce maître très sûr et souple les bases doctrinales de sa propre expérience, notamment la notion de l'amour réciproque entre Dieu et l'homme. C'est seulement à l'âge de quarante ans que son maître le laissera continuer seul sa voie propre, conscient des risques qu'il prendrait mais certain qu'il serait fidèle à la lumière divine. Dès lors, Hallâj pourra se permettre d'en remontrer à ses anciens maîtres, comme ce jour où, rencontrant à La Mekke Makki récitant le Coran, il le scandalisera en lui affirmant : « Je pourrais en dire autant. » Il voulait dire que sa propre inspiration venait de Dieu comme le Coran et lui permettait d'interpréter le Coran à la lumière de son inspiration. On ne peut douter que ce long noviciat ait été la base nécessaire à un itinéraire mystique poussé jusqu'à ses limites extrêmes.

L'ÉPOQUE DES THÉORICIENS ET DES MANUELS X[e]-XIe SIÈCLE

Le gibet de Hallâj, exécuté en 922, marque un tournant dans le développement du soufisme. Il fait éclater au grand jour la crise qui couvait entre le soufisme et l'orthodoxie officielle. Traumatisé par ce drame, le soufisme marque un temps d'arrêt. On éprouve le besoin de faire le point. D'abord, faire le bilan de ces trois premiers siècles, riches d'expériences fulgurantes, mais individuelles et dispersées. C'est l'époque des recueils qui rassemblent et mettent par écrit les sentences des premiers soufis, jusqu'alors transmises oralement. C'est aussi celle des manuels qui classent méthodiquement les états et les étapes de l'itinéraire spirituel classique. Celui d'Ansâri, mort en 1088, compte cent étapes divisées en dix sections, chaque étape étant elle-même divisée en trois degrés. C'est enfin l'époque de l'effort de réconciliation du soufisme avec l'orthodoxie. On entend démontrer que le véritable soufisme est conforme à l'Islam véritable, mieux : qu'il est le véritable Islam. Mais, ce faisant, on est amené, pour les besoins de la démonstration, à amputer le soufisme de sa fine pointe, la montée sans limite vers l'unification avec Dieu *(tawhîd)*.

Cependant, le manuel didactique ne remplacera jamais l'expérience personnelle et le maître vivant. Ghazâli, mort en 1111, qui est un des principaux auteurs et agents de cette orthodoxisation du soufisme, l'avouera humblement dans son autobiographie : « J'avais lu tous les ouvrages du soufisme. Mais le soufisme n'est pas un savoir qui s'apprend dans les livres. C'est une vie qu'il faut mettre en pratique et j'étais comme un petit enfant qui ne sait pas marcher. » De son côté, Ansâri, auteur d'un des manuels les plus méthodiques et artificiels, rappelait sans cesse que son ouvrage n'est qu'une béquille dont il faut savoir se libérer quand on commence à marcher et qu'un maître expérimenté est nécessaire pour apprendre à doser son effort, à savoir rester parfois longtemps dans une étape, ou au contraire en enjamber d'autres.

On peut même penser que c'est à cette époque que le directeur spirituel prend une importance prépondérante, annonçant déjà la période suivante, celle des Confréries. Ainsi ce texte de Ghazâli sur la nécessité de l'obéissance aveugle au cheikh :

« De même que celui qui s'est purifié (ablutions rituelles) est apte à faire la prière derrière un imâm dont il imite les gestes, ainsi le novice qui s'est détaché des richesses, des honneurs et du péché est apte à suivre la voie de Dieu, à condition qu'il ait un maître spirituel à imiter, qui le conduira dans le droit chemin. Car le chemin de la vraie religion est obscur, tandis que les chemins du Démon sont nombreux et en pleine lumière. Celui qui n'a pas de maître pour le guider sera inévitablement guidé par le Démon sur ses sentiers. Qui veut emprunter les grands chemins du désert sans protection s'expose au danger et y périra. Qui veut se rendre indépendant est comme un arbre qui produit ses fruits sans être taillé ; il desséchera rapidement ou, s'il survit un temps, il ne produira que des feuilles sans fruits. Le gardien du novice bien disposé est son cheikh. Il doit s'attacher à lui, comme l'aveugle qui marche sur la berge du fleuve s'attache à son guide. Le novice s'en remettra totalement à son cheikh et ne le contredira en rien, quoi que fasse celui-ci. Rien ne pourrait excuser le novice de ne pas suivre son cheikh. Qu'il le sache bien : il vaut mieux pour lui se tromper en suivant son cheikh qui se trompe que de tomber juste par lui-même... » (*Ihyâ*, III, kitâb 2, Bayân 11).

Dans les confréries

A partir du XIIIe siècle, les Confréries religieuses musulmanes *(turuq)* prennent le relais des grands soufis des premiers siècles et accentuent encore le caractère didactique, collectif et technique des théoriciens des Xe et XIe siècles. Le style même d'une Confrérie conduit à tout codifier : les doctrines, les rites, les vêtements... et les revenus. La relation maître-novice y échappe moins que tout autre aspect, car c'est par elle que la Confrérie assure sa cohésion sociale et spirituelle.

D'abord, on entre dans une Confrérie pour s'assurer la garantie d'une bénédiction divine *(baraka)* toute spéciale, grâce au contact avec le dernier maillon d'une chaîne ininterrompue qui relie le novice, par son cheikh, à Dieu lui-même. Cette chaîne de garants *(silsila)* se décompose en trois parties. La première part du cheikh vivant et remonte jusqu'au fondateur de la Confrérie (Abd al-Qâdir pour les Qâdiriyya, Abd al-Rahmân pour les Rahmâniyya...) en passant par les Grands Maîtres successifs. La deuxième partie repart du fondateur et va jusqu'au Prophète Mohammed, en passant par les grands soufis de chaque génération, surtout Shibli, Junayd, Bistâmi, Hasan al-Basri, et les Compagnons du Prophète, Abû Bakr et Omar. Enfin, la dernière partie remonte de Mohammed à Dieu lui-même, en passant par les prophètes antérieurs (Moïse, Salomon surtout) et l'archange Gabriel. Ainsi, toucher le cheikh, lui donner l'accolade, ou plus généralement toucher sa main ou seulement baiser son manteau, c'est recevoir comme physiquement à travers tous les chaînons de la filière, le contact de Dieu lui-même. Curieuse revanche, sous forme dévaluée, quelque peu magique et contestée par l'Islam orthodoxe, de l'organisme sacramentaire exclu par l'Islam.

Mais l'accès à cette *baraka* se paie d'un noviciat parfois assez long. Le postulant *(murîd)* doit mériter la faveur d'entrer dans la Confrérie. Dans les grandes *zâwiya-s*, sortes de monastères, le « Prieur » *(muqaddam)* est assisté d'un « maître des novices » *(cheikh al-tarbiya)* ou « directeur spirituel » *(murshid)* chargé d'instruire les novices, quand le Prieur ne peut assurer cette instruction lui-même. Ce noviciat consiste généralement en séances d'instruction, en travaux serviles, parfois dégradants (Mawlâwiyya), en épreuves diverses, et en jeûnes, prières, retraites et aumônes. A la fin du noviciat, a lieu la séance d'initiation, en général le jour de la fête du fondateur (Mouled), avec un rituel précis : prières, instructions du cheikh sur les obligations envers la Confrérie, révélation des secrets de la Confrérie (nom divin, litanies et rites spéciaux), tradition des insignes propres à la Confrérie (burnous, chapelet et turban de couleur et de forme particulières) et enfin toucher des mains. Le tout est précédé d'un triple serment qui lie le novice à la Confrérie : garder ses secrets, servir avec dévouement ses confrères et... obéir au cheikh *perinde ac cadaver* :

« Sois entre les mains de ton cheikh comme le cadavre entre les mains du laveur de mort *(kun bayna yaday shaykhi-ka ka-mithli l-jasadi bayna yaday al-ghâsil)*. Obéis-lui en tout ce qu'il ordonne, car c'est Dieu qui commande par sa voix. Lui désobéir, c'est encourir la colère de Dieu. N'oublie pas que tu es son esclave et que tu ne dois rien faire sans son ordre. Le Cheikh est l'homme aimé de Dieu ; il est supérieur à toutes les créatures et prend rang après les prophètes. Ne vois donc que lui partout. Bannis de ton cœur toute autre pensée que celles qui ont Dieu et le cheikh pour objet. De même qu'un malade ne doit avoir rien de caché pour le médecin de son corps, de même tu es tenu de ne cacher au cheikh aucune de tes pensées, aucune de tes paroles, aucune de tes actions ; car le cheikh est le médecin de ton âme. Tu dois tenir ton cœur enchaîné à ton cheikh, écarter de ton esprit tout raisonnement bon ou mauvais, sans l'analyser ni rechercher sa portée, dans la crainte que la libre réflexion ne conduise à l'erreur. » (Manuel des Rahmâniyya.)

On aura reconnu une tradition commune avec une certaine tradition de la spiritualité chrétienne. Le « *perinde ac cadaver* » (trop) célèbre de saint Ignace de Loyola vient peut-être de la tradition musulmane par l'Espagne [1]. Mais, dans le cas de la spiritualité ignatienne comme dans celui de la tradition soufie et confrérique, il convient de replacer cet apophtegme dans l'ensemble de la doctrine sur la direction spirituelle. Un auteur de la tradition confrérique, mineur il est vrai, mais très représentatif de la tradition religieuse orthodoxe en Islam, va nous montrer avec quelle souplesse et discrétion doit se prendre la relation de maître à disciple. Ibn Abbâd de Ronda, soufi marocain du XIVe siècle, fut un directeur de conscience avisé. Ses *Lettres de direction spirituelle (Rasâ'il sughrâ)* ont été publiées et étudiées par le P. Paul Nwyia. La dernière de ces *Lettres mineures* est consacrée à la théorie et à la

1. On trouve des textes très semblables au texte des Rahmâniyya cité, dans les manuels des Qâdiriyya, des Châdhiliyya, des Madaniyya et des Isâwiyya. Au temps de saint Ignace, ces Confréries, en particulier les Châdhiliyya, étaient fort répandues en Espagne, chez les Mores (musulmans) et les Moriscos (musulmans convertis officiellement au christianisme). Saint Ignace aura une rencontre importante avec un de ces Mores sur la route de Montserrat en 1522. Saint Ignace aura-t-il emprunté aux Confréries musulmanes la formule du *perinde ac cadaver* ? Un auteur, à vrai dire assez suspect aussi bien pour les sources de la Compagnie de Jésus que pour son information sur l'Islam, pense l'avoir prouvé. Voir Hermann MÜLLER, *Les origines de la Compagnie de Jésus,* Paris, 1898, p. 36-37. Mais la démonstration reste à faire. Notons seulement que la formule semble ignorée de la tradition spirituelle chrétienne avant saint Ignace, alors qu'elle est fréquente dans celle des Confréries religieuses musulmanes.

pratique de la direction spirituelle. L'idée générale est que l'initiative, dans la vie spirituelle et mystique, revient toujours à Dieu, aussi bien pour le don des grâces mystiques que pour la recherche d'un directeur. L'itinérant dans la voie de Dieu doit seulement se disposer à recevoir « passivement » les états spirituels et se confier à Dieu en tout, y compris pour l'envoi du directeur recherché... et nécessaire :

« D'une façon générale, le directeur spirituel *(cheikh)* est nécessaire pour marcher dans la voie mystique. Nul ne peut le nier. C'est d'ailleurs une chose toute naturelle. Mais il faut distinguer deux sortes de directeurs : celui qui enseigne et éduque, et celui qui enseigne sans éduquer. L'éducateur n'est pas nécessaire à tout mystique. Seuls en ont strictement besoin les esprits obtus et les âmes rebelles. Pour les intelligences ouvertes et les âmes dociles, il n'est pas nécessaire mais cependant préférable. Le directeur qui enseigne, lui, est nécessaire à tout spirituel... »

Ensuite, Ibn Abbâd explique pourquoi un directeur éducateur est nécessaire à ceux de la première catégorie : les voiles qui les aveuglent sont trop lourds et seul un éducateur peut les aider à les enlever, comme les malades graves ont absolument besoin du médecin. Ceux de la deuxième catégorie, au contraire, peuvent mettre d'eux-mêmes en œuvre les indications du directeur enseignant. Cependant, ils ne seront jamais aussi parfaits qu'ils pourraient l'être avec l'aide d'un directeur éducateur, car l'âme n'est jamais totalement libérée de tout voile et de toute indolence. Elle a toujours besoin de se faire juger et encourager par un autre. Les premiers soufis ne parlaient que du directeur enseignant, tandis que les soufis plus récents insistent sur le directeur éducateur. Et Ibn Abbâd critique durement les soufis de son temps (les Confréries) qui font des novices les esclaves de leurs maîtres. La méthode des Anciens était meilleure : « Ils acquéraient les connaissances nécessaires et amendaient leur vie spirituelle par voie du compagnonnage et de la fraternité mutuelle. Leurs rencontres et leurs visites réciproques avaient un effet profond sur leur progression spirituelle... » De même ils n'acceptaient pas sans critique l'enseignement contenu dans les ouvrages de soufisme et s'assuraient de sa conformité avec la Loi révélée. En cas de désaccord apparent, ils demandaient conseil à un cheikh faisant autorité. Le cheikh est donc toujours nécessaire et « plus précieux que l'or ». Mais il est une pure faveur que Dieu fait au novice. Il ne faut pas passer son temps à chercher un maître spirituel, mais entrer courageusement et sincèrement dans la voie mystique, en se confiant à la lumière de Dieu, en méditant le Coran et en lisant les bons auteurs. Alors, Dieu enverra sûrement un cheikh, qui éclairera la route... » (*Rasâ'il sughrâ,* éd. Nwyia, p. 106-115).

Actuellement

La direction spirituelle n'a pas totalement disparu de la vie religieuse musulmane d'aujourd'hui, bien qu'elle s'y soit raréfiée. Les Confréries existent toujours et sont pratiquement les seules héritières vivantes de la grande tradition soufie. Mais elles sont contestées de tout côté, par les Réformistes qui veulent « purifier » l'Islam de cette « innovation blâmable » *(bid'a)* et de ses pratiques douteuses, et par les Modernistes qui reprochent aux Confréries de prôner la « fuite du monde » *(al-firâr min al-dunyâ)* et d'avoir collaboré avec l'occupant colonialiste. Les noviciats officiels n'existent plus guère et la vie proprement mystique y semble un fait assez exceptionnel. Mais il existe pourtant des cheikhs sans prétentions, nourris d'expérience religieuse et de sagesse, qui exercent une influence certaine. Leur audience ne se limite pas au petit peuple et je connais, en Égypte aussi bien qu'au Maghreb, à Tlemcen, par exemple, des intellectuels, étudiants ou même professeurs d'université, qui ont plaisir à converser avec eux et en retirent un profit spirituel.

Mais il faut bien constater que les élites religieuses traditionnelles, professeurs des Grandes Mosquées, imâm-s de village ou cheikhs des Confréries, ont perdu, dans l'ensemble, l'estime des nouvelles générations. Le relais est pris, en principe, par les professeurs des cours de religion dans l'enseignement d'État, primaire et secondaire. Mais, de l'avis général, cet enseignement ne répond que rarement aux requêtes des jeunes. Quelques enseignants dans les autres disciplines, profondément croyants et ouverts, suppléent parfois à cette carence de l'enseignement religieux officiel.

Par contre, une forme assez nouvelle de « direction spirituelle » au sens large est née avec la diffusion des *mass media*: livres, revues, journaux, radio, télévision. Je pense en particulier à une petite revue religieuse d'Égypte, *Liwâ al-Islâm*, de style populaire, qui a une importante diffusion, à tel article du grand journal cairote *Al-Ahrâm* qui traite avec intelligence le problème des rapports entre la foi et la science, à une série d'émissions radiophoniques du Caire qui transmettait des sermons du Vendredi donnant une véritable nourriture spirituelle, à l'« Essai de nouvelle compréhension du Coran » de Mustafâ Mahmûd (Égypte), qui a paru d'abord en articles dans une revue populaire à grand tirage, rencontra un énorme succès et fut prolongé par des émissions à la télévision, etc.

En résumé, il semble que la direction spirituelle ait disparu aujourd'hui sous sa forme tant soit peu organisée et que les âmes avides d'aide et de direction soient laissées à elles-mêmes, brebis sans pasteurs, réduites à trouver leur bien au hasard de leurs rencontres, de leurs lectures ou de ce qui leur tombe dans les oreilles et dans les yeux. Mais peut-être est-ce là un retour à ce que préconisait Ibn Abbâd : marcher courageusement dans la voie de Dieu et se confier à lui pour qu'il envoie la direction et le directeur désirés... et nécessaires.

Robert CASPAR

UN GRAND MAÎTRE JUIF : RABBI ISRAEL B. ELI'EZER LE BA'AL SHEM TOV

Tout comme d'autres systèmes religieux, le judaïsme a produit, au cours de sa longue histoire, des personnalités d'une grande envergure spirituelle, qui ont profondément marqué leur époque.

L'un de ces personnages prestigieux est R. Israël B. Eli'ezer (environ 1700 à 1760), le *Besht*[1]. Bien que R. Israël soit mort il y a à peine un peu plus de deux siècles, il est devenu à un tel point un personnage de légende qu'il est extrêmement malaisé de vouloir retracer les circonstances concrètes de sa vie. Lui-même n'ayant pratiquement pas laissé d'écrits — ce qui lui est attribué étant en très grande partie apocryphe, — nous dépendons, en ce qui concerne sa vie de ce que nous en disent ses disciples, pour qui tout ce qui touche au maître vénéré baigne dans une atmosphère de merveilleux.

L'immense succès qu'a connu, dans le judaïsme de l'Est européen, la « voie hassidique » préconisée par le Besht, s'explique en partie en fonction des circonstances extérieures. A la suite de toute une série de guerres, de

1. Abréviation de *Ba'al Shem Tov*. Un *Ba'al Shem* est un maître qui connaît les secrets du nom ineffable de Dieu et qui, grâce à cette connaissance, est capable d'opérer des miracles.

soulèvements – plus particulièrement celui des Cosaques sous Bogdan Chmielnicki, à partir de 1648, qui a cruellement décimé les communautés juives d'Ukraine – et de mesures anti-juives, la vie juive en Pologne s'était progressivement degradée. L'ancien système d'enseignement traditionnel, qui avait été l'une des gloires du judaïsme de ce pays, n'avait pas résisté non plus à cette pression de plus en plus grande, et le nombre de ceux qui étaient peu – ou pas du tout – instruits croissait sans cesse. Par ce phénomène se creusa aussi le fossé, à l'intérieur de la communauté juive, entre une couche infime d'érudits, d'une part et, d'autre part, la masse des *'amei haaretz*, des ignorants [2].

Comme souvent dans l'histoire juive, cette dégradation progressive du milieu de vie et le désespoir qu'elle fit naître face à une situation inextricable provoqua une sorte de fuite vers l'intérieur, vers les réalités d'un monde soustrait à toutes les influences néfastes, et qui est le monde de la mystique. Déjà, la grande catastrophe du judaïsme espagnol qui, en 1492, s'était soldée par l'expulsion des juifs de ce pays, avait provoqué une nette recrudescence d'attrait pour l'ésotérisme. Vers le

2. Le judaïsme étant avant tout une fidélité de tous les instants à l'égard de la volonté de Dieu exprimée dans les commandements de la Torah, la tâche principale de l'homme est de les connaître aussi intimement que possible. Pour cette raison, l'accent a toujours été mis sur l'étude, comme condition *sine qua non* d'une vie pleinement conforme à la parole de Dieu. Déjà la Mishna dit (Peah I, 1) que l'étude de la Torah a le pas sur tout le reste, et les Maximes des Pères précisent (II, 5) qu'un ignorant ne peut pas être un homme pieux.

milieu du XVIe siècle, un foyer de Cabbalistes [3] s'était formé à Saded, en Galilée [4], autour de la personne du « saint Ari », R. Isaac b. Salomon Louria (1534-1572), dont l'enseignement et la doctrine éthique, le « *Mûssar ha-Ari* », s'étaient très rapidement répandus dans l'ensemble du monde juif. Les espérances messianiques que ce mouvement avait ravivées avaient abouti, en 1648, après les épreuves de la guerre de Trente ans, à la « manifestation », à Smyrne, du pseudo-Messie Sabbataï Tsevi, dont la conversion à l'Islam avait profondément traumatisé de nombreuses consciences juives.

LES DÉBUTS

Apparemment rien n'avait prédestiné le jeune Israël au rôle qui allait être le sien dans le monde juif. Né de parents pauvres dans un petit bourg près de la frontière polono-turque, il s'est trouvé très jeune orphelin ; il avait peu de goût pour les études – ses ennemis lui reprocheront pendant toute sa vie d'être un ignorant en matière talmudique – et avait passé de longues années dans les immenses forêts des Carpathes, se consacrant, d'après la tradition hassidique, à l'étude des « livres simples », terme qui désigne la Cabbale populaire diffusée par les

3. A partir des XIIe-XIIIe siècles, le terme de *Qabbalah* qui, dans la littérature rabbinique ancienne, signifie simplement « tradition », devient de plus en plus utilisée de préférence pour désigner la *tradition ésotérique* (« Cabbale »).

4. La ville de Safed a été choisie à cause de la proximité de la tombe de R. Siméon b. Yohaï, considéré comme l'auteur du *Zohar*.

disciples du Ari. D'après la même tradition, R. Israël avait été initié à la science ésotérique par un mystérieux « Rabbi Adam », étranger itinérant qui, malgré l'interdiction des autorités rabbiniques, enseignait la « Cabbale pratique ». Certains ont vu dans ce personnage un crypto-sabbatarien.

En 1730, R. Israël quitte sa retraite et s'établit à Tluste, en Galicie, où il exerce la profession de *Melamed* (instituteur). A partir de là, il rayonne dans les régions voisines, se livrant partout aux mêmes activités que les nombreux *Ba'alei Shem* (thaumaturges) à l'œuvre à cette époque : il guérit les malades à l'aide de formules magiques, leur administre des remèdes populaires, procède à des exorcismes et confectionne des amulettes. Ce sont surtout ces dernières, les *Qamé'ot*, dont l'efficacité fonde la popularité de R. Israël. Cependant, il n'exerce jamais cette activité en guise de métier, comme tant d'autres *Ba'alei Shem*, mais reste toujours au service des pauvres et des déshérités, ce qui lui vaut précisément le surnom de *Ba'al Shem Tov*, « le bon *Ba'al Shem* ».

Ayant acquis ainsi une renommée qui s'étendait bien au-delà de la région où il s'est établi, le Besht change de méthode. Désormais, il va opérer des miracles à l'aide de la seule prière. C'est d'ailleurs maintenant qu'il devient un vrai thaumaturge. Un élément qui contribue notablement à le rendre célèbre, c'est son don de prédire les événements futurs. A ce niveau apparaît d'ailleurs clairement l'inspiration et la tradition dont le Besht est tributaire, qui est celle de la Cabbale, plus particulièrement dans sa forme popularisée par les disciples du Ari. Lorsqu'on s'adresse à lui pour qu'il lève un pan du voile qui cache l'avenir, le Besht ouvre simplement le *Zohar* [5], regarde pendant un instant le passage sur lequel il était tombé par hasard, puis répond immédiatement à la question qu'on lui a posée.

A quelqu'un qui, un jour, lui demandait comment il était possible qu'un livre aussi ancien que le *Zohar* puisse contenir des indications portant sur des événements contemporains, le Besht répondit : « D'après le Talmud, la lumière première, créée par Dieu tout au début de l'œuvre de la création, permettait à Adam d'embrasser d'un seul regard le monde entier, d'un bout à l'autre. Lorsque le Saint, béni soit-il, s'aperçut que le monde n'était pas digne de cette lumière, il la cacha afin de la réserver aux justes dans le monde à venir. Que fit-il de cette lumière ? Il la mit dans la Torah. C'est ainsi qu'en ouvrant le *Zohar* [6], je vois le monde comme un livre ouvert devant mes yeux. »

La « manifestation »

Entre 1740 et 1745, s'ouvre une nouvelle phase dans la vie du Besht : il quitte Tluste pour aller habiter à Miedzyboz, une petite ville de Podolie. Désormais Miedzyboz deviendra pour les Hassidim ce que Safed

5. « Livre de la splendeur divine », qui est la vraie Bible des Cabbalistes. Le *Zohar* a été « découvert » en Espagne, vers la fin du XIIIe siècle, par R. Moïse b. Shemtov de Leon, mais la tradition ésotérique attribue sa rédaction à R. Siméon b. Yohaï, maître du IIe s. Le *Zohar* se présente comme un commentaire du Pentateuque.

6. C'est ce livre qui, aux yeux des Cabbalistes, contient les vrais secrets de la Torah.

avait été pour les disciples du Ari, à savoir un vrai haut lieu spirituel.

En effet, il ne s'agit pas d'un simple changement de domicile : on peut dire que l'installation du Besht à Miedzyboz marque *l'heure de la naissance du mouvement hassidique.* De thaumaturge, le Besht devient un chef spirituel qui, en très peu de temps, produira un profond bouleversement dans le judaïsme de l'Est.

Le message du Besht s'adresse très particulièrement aux gens humbles, sans grande instruction et méprisés par les érudits et, en général, à tous ceux qui voudraient mener une vie fidèle aux grandes aspirations de la tradition juive sans en avoir les moyens intellectuels et les connaissances requises. Pour toucher le cœur du peuple, il renoue avec la tradition de l'ancienne Aggadah [7] et se sert de préférence de paraboles et d'« histoires » (les célèbres « histoires hassidiques »), qu'il raconte d'une manière simple et accessible à tous, non pas, à la manière de l'enseignement traditionnel, dans une langue truffée d'hébraïsmes et d'expressions érudites compréhensibles aux seuls « initiés », mais dans un yiddich (judéo-allemand) sobre et populaire. A tous, érudits et ignorants, il adresse un message libérateur : de toutes ses forces, l'homme doit aspirer à l'union avec Dieu, mais la seule voie qui y mène n'est pas celle de l'étude, mais l'élan du cœur, l'intensité et la ferveur de l'intention *(Kawwanah)* et le service joyeux du Créateur. Par cet enseignement, le Besht est un représentant authentique d'un courant qui, dans le judaïsme, a toujours fait

7. L'Aggadah est l'interprétation allégorique et édifiante de l'Écriture.

contre-poids à un certain danger d'insister trop exclusivement sur l'intellectualisme et le juridisme, réservant la première place à la piété du cœur. Il s'agit là précisément du propre du courant spiritualiste et mystique.

La doctrine du Besht

La doctrine du Besht ne nous est connue que par les écrits de ses disciples [8], où il est souvent difficile, sinon impossible, de distinguer entre l'apport de ces derniers et les paroles authentiques du maître.

En principe, l'enseignement du Besht est basé entièrement sur la Cabbale ancienne et, plus particulièrement, sur celle du Ari. Cependant, il s'en écarte sur un point essentiel : le Ari avait enseigné en effet que la voie de la perfection exigeait de l'homme une vigilance de tous les instants, une conscience aiguë de son état de pécheur, une contrition permanente et une très grande tristesse à cause de ses innombrables transgressions, somme toute une ascèse sévère se traduisant par des jeûnes permanents et de fréquentes purifications. Par contre, ce qui est à la base de l'enseignement du Besht, c'est le verset de Ps 99, 2 : « Servez le Seigneur dans l'allégresse, allez à lui avec des chants de joie ! » Cette attitude n'est d'ailleurs qu'une conséquence logique de sa conception des rapports entre l'homme et Dieu.

8. Les principaux écrits où elle est consignée sont les livres *Toldot Ya'aqov Yossef* et *Ben Porat Yossef* de R. Jacob Joseph de Polonnoyé.

L'omniprésence de Dieu

Au centre de l'enseignement du Besht, et, partant, du Hassidisme, est la conviction intime de l'interdépendance absolue entre « le monde d'en haut » et « le monde d'en bas », et de l'omniprésence de Dieu dans l'univers : « Toute la terre est remplie de sa gloire ! » (Is 6, 3). C'est cette conviction qui est en même temps le fondement de l'optimisme inaltérable inhérent au message hassidique. Dieu est partout, en toutes choses, dans chaque créature. On peut le trouver dans chaque phénomène du monde visible. Tout ce qui existe et se produit est attribuable à la seule volonté de Dieu. Toute bonne action dans le monde a sa racine dans cette volonté et c'est en accomplissant une telle action que l'homme se hisse au niveau de Dieu : « C'est uniquement en fonction de ses bonnes actions que l'homme reste réellement attaché au Créateur béni », dit, au nom du maître, R. Jacob Joseph de Polonnoyé, le biographe du Besht. En toute chose, il existe une étincelle divine : « A partir de toute chose s'élève la voix glorieuse du Créateur béni », dira R. Nahman de Bratzlav, l'arrière-petit-fils du Besht. C'est à l'homme de découvrir l'origine divine des phénomènes de la vie. De cette manière, l'homme verra le monde entier à la lumière de Dieu et saisira les rapports entre le Créateur et la création. S'il ne le fait pas, il perturbe par contre ces relations. On ne peut saisir l'immensité de Dieu qu'à partir de l'intuition profonde de son omniprésence. La création du monde n'est pas un acte unique, mais un processus continu en fonction de la parole vivifiante de Dieu : « Toi qui, par ta bonté, renouvelles chaque jour et constamment l'œuvre de la création », dit la prière du matin. Si Dieu mettait fin à cet effet de sa parole vivifiante, le monde retournerait immédiatement au chaos. Dieu a créé le monde par amour. Dans l'intérêt de sa création, et pour rendre celle-ci possible, il s'est pour ainsi dire limité lui-même afin d'être adoré et vénéré dans son œuvre. Cette idée hassidique provient en ligne droite du *Tsimtsûm*, de l'autolimitation de Dieu de R. Isaac Louria.

Quant à l'homme, la conséquence immédiate de cette attitude doit être une confiance illimitée en la Providence : « (L'homme) doit se rappeler toujours, aurait encore dit le Besht [9], que la terre entière est remplie de la gloire du Créateur béni, que sa majesté est proche à tout moment... et qu'il est ainsi le Maître de tout ce qui se passe dans le monde. Il est capable d'accomplir tout ce que je désire, et il n'existe donc rien de meilleur pour l'homme que d'avoir confiance exclusivement dans le Saint, béni soit-il. »

Pour cette raison, l'effort principal du Hassid doit être *un effort de contemplation*. Progressivement, il doit s'élever de degré en degré jusqu'au dépassement définitif de tous les « revêtements » qui lui assure la vision de la splendeur divine. « La gloire de Dieu garde (l'homme dans cette ascension mystique) jusqu'à ce qu'il contemple le Créateur béni face à face », disait encore le Besht [10]. En même temps, l'homme doit opérer l'« éléva-

9. D'après la *Tsawaat ha-Ribash*, le « Testament » du Besht, attribué au *Maggid* (prédicateur) Isaïe de Yanov et imprimé pour la première fois en 1793.
10. *Ibid.*

tion » des saintes étincelles tombées de la matière à la suite du premier drame cosmique [11], et doit les réunir à leur racine divine. Tout ce qui se passe dans le monde lui apparaîtra alors dans une lumière nouvelle. L'homme se trouvant en de telles dispositions se rendra compte que les choses qui, habituellement, excitent sa convoitise, ne sont que des phénomènes passagers, que tout a été créé par l'effet d'une seule parole de Dieu, et que tout ce qui n'a pas ses racines dans le monde d'en haut n'est que vanité et futilité.

La démarche de l'homme

Du moment où Dieu est présent en tout homme d'une présence d'amour, l'homme est également doté de vertu. Il s'agit d'une vraie réciprocité, comme l'exprime encore le « Testament » du Besht : « Tout a été fait et créé par la vertu propre du Saint, béni soit-il. Puisqu'il en est ainsi, tu contemples le Créateur béni, et le Créateur béni te contemple à son tour. »

Cette vertu qui, selon l'enseignement du Besht, se manifeste de trois manières différentes, n'est cependant pas une qualité isolée, mais, comme l'étincelle divine que l'homme porte en lui, un bien que Dieu lui a confié et dont il doit sentir en permanence la présence en lui. Aussi la vertu a-t-elle besoin d'être détachée des scories de l'égoïsme et de l'emprise exercée sur elle par la per-

11. On touche ici la doctrine cabbalistique de la *Shevirat ha-kelim*, « la brisure des réceptacles », particulièrement chère à Louria, et son idée du Tiqqûn, du redressement cosmique, au centre duquel est placé l'effort de l'homme.

sonnalité propre de l'homme. C'est à ce prix qu'il sera possible à l'homme d'atteindre à un degré très élevé de perfection. Voici les trois niveaux de la vertu :

1. L'humilité

L'élément de base de l'humilité hassidique, c'est la reconnaissance du caractère strictement individuel de la nature de l'homme. Tout être a sa valeur propre, et personne n'a le droit de s'estimer supérieur à autrui. Le monde n'atteindra sa perfection que par la somme des perfectionnements individuels. Tous les hommes possèdent les mêmes virtualités et ont donc en soi la même valeur. Tous les hommes sont bons et donc dignes d'être aimés, mais c'est seulement pris ensemble qu'ils constituent l'humanité, au sein de laquelle se manifeste la divinité dans toute sa perfection illimitée.

Quiconque a pu faire l'expérience de la possibilité de son propre perfectionnement croira aussi à celui des autres. Celui qui aime réellement Dieu ne pourra pas faire autrement que d'aimer aussi les hommes. C'est cet amour qui est la base de la forte solidarité qui existe à l'intérieur de la communauté hassidique.

L'homme vraiment humble est plus agréable à Dieu que celui qui offre de nombreux sacrifices (Ps 50, 19) : « Les sacrifices qui sont agréables à Dieu, c'est un esprit brisé. » La lucidité concernant sa propre situation guidera l'homme vraiment humble dans l'ensemble de sa conduite : toute sa vie reflètera cette attitude. La vraie humilité est aussi la porte de la sainteté, qui est un don de Dieu réservé aux hommes pieux. L'homme qui, par le truchement de l'humilité, aspire à la sainteté, peut être convaincu de l'aide d'en haut. Un tel homme devient le Temple de Dieu, il devient tabernacle et autel, et « la Shekhinah habite en lui comme autrefois au Temple ».

Par contre, l'homme orgueilleux est la cause de ce que se prolonge l'exil d'Israël, et ainsi l'exil de la Shekhinah [12]. L'orgueilleux est en réalité un idolâtre : il s'adore lui-même et livre son âme aux forces du Mal.

A ce niveau se pose d'ailleurs *le problème du Mal*, et de l'attitude de l'homme face au mal que fait son prochain. Étant donné que Dieu, dans son amour, s'incarne dans le monde, le Mal ne peut donc pas y avoir une existence réelle : il est en réalité encore un degré très bas, pour nous imperceptible, du Bien. Lorsqu'on essaie de scruter ce qui nous apparaît comme le Mal, on constate d'ailleurs souvent qu'il contient encore des éléments divins et est donc capable d'engendrer le Bien. Les choses imparfaites, qui nous apparaissent comme le Mal, n'existent que pour offrir à l'homme la possibilité de les perfectionner et de travailler ainsi à son propre perfectionnement. Par ce travail de perfectionnement, l'homme réveille les étincelles divines présentes en toutes choses, et accomplit ainsi sa vraie tâche, qui est de collaborer activement au *Tiqqûn*, à la grande œuvre de redressement de la création. Le Mal n'étant, au fond, qu'une erreur de jugement, il ne faut pas non plus prendre ombrage du mal fait par le prochain et se rappeler que tous les hommes sont profondément solidaires les uns des autres.

12. D'après le Midrash, la Shekhinah partage l'exil d'Israël.

2. *La joie*

L'homme qui est intimement persuadé que Dieu est présent en toute chose ne pourra qu'en éprouver une joie profonde. Sur ce point encore, l'enseignement du Besht s'écarte très nettement de l'ancienne mystique juive. Puisque c'est par nos sens que nous percevons la présence de Dieu dans la création, il en résulte tout naturellement que nous devons aussi nous réjouir de nos sens comme organes de cette perception. La conséquence immédiate en est *une attitude absolument positive à l'égard de la vie.*

Ce qui rend l'homme triste, c'est le péché, qui le détourne de la vraie communion avec Dieu. L'accomplissement des commandements de la Torah n'a sa vraie valeur qu'à la condition qu'il se fasse d'un cœur joyeux. Certes, l'homme peut pécher, et il faut qu'il reste conscient de ce danger qui le guette en permanence. Cependant, le péché peut être vaincu par la pénitence. Or le trait caractéristique de la vraie pénitence, c'est qu'elle transforme la tristesse en joie. Il ne suffit d'ailleurs pas que l'homme renonce au péché et essaie de la compenser par de bonnes actions. C'est par un vrai perfectionnement de tout son être qu'il doit vaincre définitivement le péché et s'unir à Dieu d'une manière durable. Lorsque l'homme est triste, ses pensées tournent exclusivement autour de sa propre personne. C'est la joie qui les libère, qui leur permet de dépasser le niveau strictement individuel et égoïste et d'entrer en communion avec Dieu.

De toutes ses forces, le Hassid doit lutter contre l'esprit morose. « Voici une règle importante dans le service du Créateur béni, disait le Besht : il faut se garder de l morosité... Il est néfaste de pleurer, car il faut qu l'homme serve (le Créateur) dans la joie ; cependan quiconque pleure de joie est agréable à Dieu. » L'élé ment essentiel dans l'accomplissement des commande ments de la Torah, ce n'est pas une minutie poussée l'extrême dans l'exécution purement matérielle, mai l'intention droite et le désir sincère de l'homme de fair la volonté de Dieu.

Puisqu'elle est un empêchement majeur pour l'éclo sion de la vraie joie, le Besht n'aime pas non plus l'as cèse tellement chère aux disciples du Ari : « Si quelqu'u éprouve un fort désir de jeûner, disait-il à ce propos qu'il ne s'en laisse pas détourner. Cependant, il doi savoir qu'il vaut mieux servir Dieu d'un cœur joyeux e sans ascèse, car celle-ci rend l'homme triste [13]. »

3. L'embrassement (Hitlahavût)

Toutefois, il ne suffit pas que l'homme accompliss les commandements de Dieu avec joie et humblement Si ses dispositions se limitaient à cela, on pourrait tou jours dire encore que l'accomplissement des commande ments obéit à une contrainte et serait fait par pur devoir Notre effort suprême doit consister en ce que l'étincell divine en nous s'embrase d'elle-même et devienn flamme. C'est la *Hitlahavût*, l'embrasement du feu sacr en nous. On ne peut atteindre ce niveau que grâce à un connaissance intime de Dieu, par un amour profon pour lui et par une vraie participation à la vie divine. I

13. *Tsawaat ha-Ribash.*

e s'agit pas de s'abîmer dans le grand Tout et donc 'une sorte de quiétude, mais d'une élévation permaente de degré en degré. Pour l'homme qui possède et ultive cette étincelle, le temps et l'espace s'effacent et out devient un éternel présent. Pour lui, la nature et l'esrit ne sont plus deux entités qui s'opposent mais forment une profonde unité.

Le service sacré — 'Avodat qodesh

Pour réaliser toutes ses dispositions intérieures, et pour en faire un instrument par excellence dans l'œuvre de perfectionnement qu'il doit poursuivre toute sa vie durant, l'homme possède un moyen infaillible : la prière, appelée traditionnellement *'Avodat qodesh,* « service sacré ». C'est par ce service divin que s'embrase peu à peu l'étincelle divine dans l'homme jusqu'à devenir une flamme puissante. Ce service sacré est un vrai sacerdoce. L'homme qui le pratique a une fonction comparable à celle du prêtre : il réalise l'unification de toutes choses et conçoit Dieu selon sa nature véritable comme l'Être unique. C'est là le véritable objectif de toute piété hassidique : contempler la profonde unité de Dieu dans la multiplicité des phénomènes, reconnaître en tout acte son action, et se rapprocher ainsi de lui. Par le service sacré, l'homme contribue à la rédemption de la *Shekhinah* de l'exil et ainsi au rétablissement de l'unité entre Dieu et ses émanations terrestres [14]. Quand cette réunification sera achevée viendra le Messie. De cette

14. Ce qui est sous-jacent à cette idée, c'est la doctrine cabbalistique des *Séfirot* – on en compte dix – qui sont autant d'émanations de la divinité.

manière, la fonction essentielle de la piété est de hâter l'avènement de l'ère messianique.

Afin que puisse être opérée la Rédemption, le service sacré doit être embrasé en permanence de la flamme sacrée de la *Hitlahavût*. Concrètement, cela se fait par la *Kawwanah*, par la concentration intérieure sur l'objectif de l'action pieuse. Une telle concentration est nécessaire afin de libérer les étincelles divines tombées dans la matière et prisonnières des *Qelipot*, des « enveloppes » d'impureté. Seule la *Kawwanah* permet à l'homme de s'élever à la pureté de la *Hitlahavût*, par laquelle il contribue à la rédemption du monde, en même temps qu'il se rachète lui-même.

Si la *Kawwanah* est la disposition correcte de l'âme en vue du service sacré, *la prière* est à son tour l'expression la plus importante de la piété. Afin que la prière de l'homme soit réellement une supplication et une louange, elle doit être soutenue par une très grande ferveur. C'est à ce prix qu'elle conduit à la communication avec Dieu. D'après l'enseignement du Besht, la prière n'est plus une recherche de Dieu ni même les retrouvailles avec lui, mais *un échange permanent avec Dieu* : par la prière, c'est l'étincelle divine dans l'homme qui s'unit à sa source.

Dans cette perspective, le *Ba'al Shem* et avec lui l'ensemble du Hassidisme sont opposés à la prière stéréotypée et à la simple répétition de formules toutes faites. Bien entendu, le Besht accepte le rituel traditionnel [15],

15. Par déférence pour le grand maître de Safed, le Besht a d'ailleurs adopté, pour la communauté hassidique, le rituel du Ari et donc le rite sépharade, geste qui lui fut amèrement reproché par ses adversaires, qui y voyaient une rupture avec la tradition.

mais il le transforme en même temps de l'intérieur. Faire une prière n'a de sens qu'à la condition qu'elle jaillisse du cœur. Pour le Hassid, la prière est beaucoup plus qu'un besoin intérieur dont la satisfaction lui procure une sensation d'élévation et de bonheur. Il la considère comme une tâche qu'il faut toujours recommencer ; chaque fois il faut de nouveau s'abîmer dans la prière et se purifier intérieurement afin de s'unir à Dieu.

C'est pourquoi le vrai Hassidisme, fidèle à l'enseignement du Besht n'utilise la prière traditionnelle que dans la mesure où il lui donne un nouveau contenu. Il préfère d'ailleurs de loin la prière spontanée, individuelle, qui jaillit droit au cœur. Une telle prière occupe un rang de loin supérieur à tout autre acte pieux. C'est dans ce sens qu'il fut révélé au Besht d'avoir atteint la perfection uniquement par la prière et nullement par l'étude ou le savoir.

« Le retour dans la maison du Père »

Après avoir lutté vaillamment, pendant les dernières années de sa vie, contre les Frankistes [16], le Besht tomba malade peu avant la fête de *Shavû'ot* (Pentecôte) de l'an 1760 [17]. D'après la tradition hassique, « il a été décrété au ciel que le Besht devait mourir à la suite de l'effort

16. Secte sabbatarienne animée par Jacob Leibowicz Frank (environ 1726-1791). Comme Sabbataï Tsevi avait embrassé l'Islam, Frank et beaucoup de ses adeptes se convertirent pour la forme au catholicisme.

17. Quant à l'année de la mort du Besht, nous suivons S. Dubnow, *Geschichte des Chassidismus*, vol. I, Berlin, 1931, p. 119.

excessif qu'il avait fourni dans la lutte contre l'hérésie sabbatarienne ». Il est mort au matin du premier jour de fête, après avoir veillé avec ses disciples durant la nuit, conformément à la coutume du Ari, et s'être entretenu avec eux des secrets de la Révélation du Sinaï [18].

C'est sous le successeur du Besht à la tête de la communauté, R. Dov Baer, le *Maggis* (prédicateur) de Mezritch, que le Hassidisme est devenu un vrai mouvement populaire.

Kurt HRUBY

18. D'après la tradition rabbinique, Shavû'ot est l'anniversaire de la Révélation du Sinaï.

LE PÈRE SPIRITUEL DANS LE MONACHISME PRIMITIF

LE SEMI-ANACHORÉTISME ÉGYPTIEN

Les collections d'apophtegmes nous ont conservé le récit suivant : « Un frère demanda à un ancien : " Que doit faire l'homme pour acquérir le charisme des vertus ? " L'ancien répondit : " Si quelqu'un veut apprendre un métier, il abandonne toute autre préoccupation, se fait ignorant et, par cette humilité, il acquiert le don de ce métier. Ainsi en est-il du moine : s'il n'abandonne pas toute préoccupation humaine et ne se méprise pas lui-même plus que quiconque, afin de ne jamais estimer qu'il est meilleur qu'un tel ou égal à un tel, il n'acquerra absolument aucune vertu. Si au contraire il s'humilie et se méprise en toute chose, alors les vertus trouveront où s'exercer et se présenteront d'elles-mêmes, car il est écrit : Alors que tu parles encore, il dira : " Me voici. " (Is 52, 6)[1]. »

Ce texte est intéressant à plus d'un titre. Il peut nous aider d'abord à saisir dans quel contexte se situe l'exercice de la paternité spirituelle dans ces déserts d'Égypte,

1. « Dialogue des vieillards sur les pensées », 30, dans *Les apophtegmes des Pères du désert,* trad. J.-Cl. Guy, Bellefontaine, s.d., p. 415, et N. 507 (traduction inédite). Tout en donnant en note les références aux traductions publiées, j'utilise souvent ici pour les Apophtegmes des traductions personnelles.

où des groupes de deux ou trois disciples vivaient durant la semaine autour d'un ancien, dans des cellules disséminées, ne se réunissant avec les membres d'autres familles analogues que le samedi et le dimanche, pour participer à la liturgie dans une Église centrale.

Dans l'apophtegme que nous venons de lire, le disciple demande à l'ancien comment « acquérir le charisme des vertus ». Le terme de charisme, susceptible d'acceptions variées, évoque spontanément, dans ce milieu des Pères du désert, des manifestations visibles et extraordinaires de l'Esprit-Saint. Les apophtegmes, comme la littérature hagiographique, mentionnent sans cesse les dons merveilleux dont jouissent les anciens du désert, et font du monachisme primitif un mouvement charismatique rappelant l'Église apostolique : clairvoyance surnaturelle, don des miracles et des guérisons, discernement des esprits, prophétie ; parfois s'y ajoutaient des phénomènes de luminosité corporelle. Ces dons sont des signes éclatants de la prise de possession de leur être par l'Esprit-Saint ; ils révèlent aux autres hommes que le Royaume de Dieu est parmi nous.

L'ancien, l'*abba* du désert apparaît ainsi, dans son rôle vis-à-vis de ses disciples, comme tout autre chose qu'un maître des novices, un directeur spirituel, ou, à plus forte raison, un supérieur religieux. Il est un témoin de l'effusion eschatologique de l'Esprit-Saint, un homme en qui le prophétisme de la Nouvelle Alliance s'exprime manifestement, et qui peut dès lors communiquer cet Esprit à ceux auxquels il donne l'habit monastique, tel Élie transmettant à Élisée, avec son manteau, une double part de son esprit prophétique (cf. 2 R 2, 9-15).

Il faut préciser cependant que, si la fréquence des charismes extraordinaires est indéniable dans le milieu monastique primitif, les maîtres spirituels du désert portent en fait beaucoup moins d'intérêt à ces dons spectaculaires qu'aux manifestations plus intérieures de l'effusion de l'Esprit. C'est comme malgré eux qu'éclate leur puissance de thaumaturges et de prophètes ; ils n'aspirent qu'à la cacher aux yeux des hommes. Et dans l'apophtegme cité plus haut, le « charisme des vertus » n'était nullement le don des miracles : le contexte du recueil où il a sa place originelle montre qu'il s'agissait de « vertus » comme le jeûne, la prière et la température corporelle. Mais l'important est que ces vertus n'y sont pas évoquées comme de simples dispositions d'ordre moral et ascétique, fruit de l'effort de l'homme : au terme de l'initiation monastique, nous est-il dit, ces vertus « trouvent à s'exercer », « se présentent d'elles-mêmes », à la manière de motions intimes, d'énergies reçues de l'Esprit-Saint, et dont on expérimente en soi-même la force victorieuse.

Tel est bien l'effet du don plénier de l'Esprit-Saint que le moine du désert aspire à recevoir : il est le principe d'une vie où l'homme agit sous la motion divine, où il ne se contente plus d'obéir à une loi extérieure, mais où l'exercice des vertus chrétiennes, des pratiques ascétiques et surtout de la prière devient comme spontané, et, pourrait-on dire, « surnaturellement naturel ». Cette expérience est beaucoup plus proche de la « connaissance » (*épignosis*) et du « discernement » (*diacrisis*) dans lesquels saint Paul voit les fruits de la pleine maturité du chrétien (cf. Ep 3, 16-19 ; Ph 1, 9, 11), que des charismes des Corinthiens (1 Co 12, 4-11). L'un des héritiers les plus qualifiés de la tradition du désert décri ainsi la condition de l'homme devenu « spirituel » :

« Que le Seigneur Jésus, le Fils du Dieu béni et très haut, vous fortifie et vous rende capables de recevoir son Esprit-Saint, afin qu'il vienne et que, par sa bienfaisante présence, il vous enseigne sur toutes choses, illumine vos cœurs et vous conduise à la vérité tout entière... Que le Seigneur vous rende dignes de boire à la source de la sagesse ! Car tous ceux qui ont bu se sont oubliés eux-mêmes, sortis qu'ils étaient tout entiers du vieil homme et de la source de la sagesse, ils ont été conduits à une autre source, celle de la charité qui ne tombe jamais. Et parvenus à ce degré, ils ont atteint la mesure où il n'y a plus ni agitation ni distraction, étant devenus tout entiers esprit, tout entiers œil, tout entiers vivants, tout entiers lumière, tout entiers parfaits, tout entiers dieux... Ils se réjouissent dans la Trinité indivise, et ils réjouissent les Puissances célestes. Aspirez à leur rang, courez comme eux... »[2].

Dans ce domaine de l'expérience spirituelle, les anciens du désert sont d'ailleurs aussi discrets que sur leurs charismes plus apparents. Les témoignages personnels ne filtrent généralement que sous la forme de confidences voilées, à la manière de saint Paul : « Je connais un homme qui... » (cf. 2 Co 12, 2-5). Ils sont si conscients de la subtilité des pièges de la vaine gloire, et si avertis de la facilité avec laquelle on peut se faire illusion dans ce domaine, qu'ils préfèrent généralement guider leurs disciples vers les sommets, plutôt que de leur

2. Barsanuphe et Jean de Gaza, *Correspondance*, Solesmes, 1971, p. 168.

écrire ceux-ci d'une manière trop enthousiaste. Cette éserve donne parfois à leur enseignement un aspect xclusivement ascétique, qui n'est en fait que la marque l'un solide réalisme spirituel et n'évacue aucunement 'élément foncièrement « pneumatique » de leur spiri- ualité.

Mais précisément, la transmission de l'Esprit du Père piritual à ses disciples ne s'opère pas instantanément ; lle requiert une lente maturation. Le processus de 'expérience charismatique est ici très différent de celui ui apparaît plusieurs fois dans les Actes des Apôtres, ù l'on voit l'Esprit-Saint « tomber » sur les disciples, l'une manière extérieurement manifeste, dès que les pôtres leur ont imposé les mains (cf. Ac 8, 17 ; 19, 6). Sur ce point encore, nous sommes plus proches de 'enseignement de saint Paul, dans les Pastorales, ur la croissance spirituelle et la maturité chrétienne cf. Ph 1, 9 ; 3, 15 ; voir aussi 1 Co 2, 6 et He 5, 12-14).

Le point de départ de cette croissance est le baptême, lont l'importance primordiale n'a jamais été niée par les naîtres spirituels égyptiens. Mais le don baptismal de 'Esprit-Saint est insensible, il échappe à toute expé- ience. Pour que le chrétien en vienne à prendre cons- cience de cette présence qui l'habite et à percevoir d'une manière en quelque sorte expérimentale la motion et l'il- umination intime de l'Esprit, il faudra d'abord qu'il s'y prépare longuement, en mettant en œuvre, par ses propres efforts aidés invisiblement de la grâce et sous la conduite d'un Père spirituel, les commandements du Sei- gneur.

Lorsque l'enseignement spirituel des Pères du désert

se sera formulé dans des catégories empruntées à la philosophie grecque, les deux phases de la vie chrétienne que l'on est ainsi amené à distinguer – l'effort ascétique d'une part, et l'expérience de la rénovation intérieure dans l'Esprit-Saint de l'autre – seront désignées respectivement sous les noms d' « action » (*praktikè*) et de « contemplation » (*théoria*). Mais, dans leur emploi chrétien, ces termes ont subi une profonde transmutation : la *théoria* a perdu son caractère intellectualiste pour devenir une communion expérimentale avec Dieu, et la *praktikè* n'est plus un effort moral ni une technique de libération spirituelle dont l'efficacité serait proportionnée aux forces naturelles de l'homme. Elle doit amener le disciple à prendre peu à peu conscience des motions intérieures de la grâce, à les distinguer des inspirations de l'Adversaire, à y correspondre et à se préparer ainsi à une effusion plus plénière et toujours entièrement gratuite de l'Esprit-Saint. Au cœur de cette ascèse se trouveront donc l'humilité, la désapprobation de soi-même et le discernement des esprits ; elle sera en même temps un apprentissage de la liberté spirituelle, car le disciple sera conduit progressivement à ne plus agir en vertu de motivations extérieures – peur de déplaire aux hommes ou désir d'en être estimé, crainte du châtiment ou espoir d'une récompense – mais à obéir simplement à sa conscience, à faire le bien uniquement parce que Dieu, en nous donnant son Esprit, en éveille dans notre cœur le sens intime et l'attrait.

Certes, les moines du désert sont aussi loin du quiétisme que du pélagianisme. Il ne s'agit aucunement pour eux d'attendre passivement l'impulsion de l'Esprit, ni même d'appeler seulement sa venue dans la prière. Le ıoine doit « se faire violence en toutes choses »[3] ; l'abbé ,ongin dira dans un raccourci vigoureux : « Donne ton ang et reçois l'Esprit[4]. » Les jeûnes, les veilles, toutes :s pratiques ascétiques ont un rôle important dans la 'ie du moine ; mais ils sont utilisés beaucoup moins omme des techniques ayant une efficacité positive ›ropre, que comme des gestes symboliques permettant à 'être tout entier, corps et âme, d'exprimer l'intensité de a prière et l'humilité du cœur, et d'y engager vraiment a personne comme telle.

Le rôle du Père spirituel dans le monachisme du lésert doit être compris en fonction de cette spiritualité. Ce rôle se ramène essentiellement à deux choses. D'une ›art, grâce au rayonnement de son être transfiguré par 'Esprit, grâce à son exemple et à son intercession, le ›ère spirituel contribue à éveiller dans son disciple les nergies baptismales cachées dans son cœur, il lui ›btient et lui communique en quelque sorte les grâces ıui susciteront en lui le sens et le goût des réalités spiriuelles. C'est pourquoi un moine qui venait chaque ınnée visiter l'abbé Antoine ne lui demandait jamais ien, mais lui avouait : « Il me suffit, Père, de te voir » ; et 'abbé Amoun conseillait : « A quelque heure que se préente la tentation, dis : Dieu des Puissances, par les ›rières de mon Père, délivre-moi ! »[5].

D'autre part, le Père spirituel apporte au disciple le liscernement dont il est encore dépourvu. Selon toute 'ancienne littérature monastique, la pièce la plus impor-

3. *Apophtegmes,* Zacharie, 1, dans Guy, *op. cit.,* p. 98.
4. *Id.,* Longin, 5 ; *ibid.,* p. 165.
5. *Id.,* Antoine, 27 et Amoun de Nitrie, 3 ; *ibid.,* p. 27 et 60.

tante de la panoplie spirituelle du jeune moine est la
manifestation des pensées, c'est-à-dire des inspiration
et des suggestions qui naissent dans son cœur. Au dis
ciple qui l'interroge à ce sujet, l'ancien répond générale
ment par une parole, un apophtegme, qui n'est pas un
simple conseil de sagesse humaine, mais une véritable
parole prophétique, une réponse mise par Dieu sur le
lèvres des Pères qui en ont reçu le charisme. C'est pour
quoi nous voyons tel ancien qui, interrogé, « ne se hâtai
pas de parler, mais attendait que Dieu lui donne une cer
titude intérieure »[6]. Le discernement des Pères ne s'exer
çait d'ailleurs pas toujours sur la parole. Surtout lorsque
les disciples n'étaient pas dans les dispositions néces
saires pour accueillir avec foi cette parole, les ancien
recouraient volontiers au silence, à un trait d'humour, à
une réponse volontairement ambiguë ou énigmatique

Le souci de promouvoir chez leurs disciples une vie
spirituelle authentiquement personnelle donnait d'ail
leurs à la pédagogie des anciens du désert un caractère
non directif extrêmement accusé, qui peut surprendre
Libérés de tout esprit de domination, n'ayant pas à assu
rer la bonne marche d'une communauté, ils se refusent à
rien imposer, ils ne veulent exercer aucune pression sur
les âmes, mais cherchent seulement à susciter une libre
réponse aux exigences divines.

L'abbé Isaac racontait ceci : Quand j'étais jeune, j
demeurais avec l'abbé Cronios, et jamais il ne m'a dit d
faire quoi que ce soit, bien qu'il fut vieux et tremblant
mais il se levait et me présentait l'écuelle ; il faisait de
même pour tous. J'ai résidé aussi avec l'abbé Théodor

6. *Id.*, Pambo, 2 ; *ibid.*, p. 257.

de Phermé : lui non plus ne m'a jamais dit de faire quoi que ce soit, mais il mettait lui-même la table et disait : « Frère, si tu veux, viens manger. » Mais moi, je lui disais : « Père, je suis venu auprès de toi pour le profit de mon âme ; pourquoi ne me dis-tu pas de faire quelque chose ? » Mais l'ancien gardait un complet silence. J'allai en parler aux anciens. Ils vinrent le trouver et lui dirent : « Père, ce frère est venu auprès de toi pour le profit de son âme ; pourquoi ne lui dis-tu pas de faire quelque chose ? » Il répondit : « Suis-je supérieur de monastère pour lui donner des ordres ? Sans doute, je ne lui dis rien ; mais, s'il le veut, ce qu'il me voit faire, qu'il le fasse lui-même. » Dès lors, je le prévenais et faisais ce que l'ancien se disposait à faire. Pour lui, quoi qu'il fît, il le faisait en silence, et j'ai appris de lui à travailler en silence[7].

« Un frère demanda à l'abbé Poemen : " Des frères demeurent avec moi ; me conseilles-tu de leur commander ? " L'ancien lui dit : " Non ; mais pratique le premier les bonnes œuvres, et, s'ils veulent avoir la vie, ils verront par eux-mêmes ce qu'ils ont à faire. " Le frère reprit : " Mais ils désirent eux-mêmes, Père, que je leur commande. " L'ancien répondit : " N'en fais rien. Sois pour eux un modèle et non un législateur[8]. " »

Dans l'ensemble, la méthode des Pères spirituels, dans les déserts d'Égypte, vérifie ce qu'un historien des religions écrivait à propos des grandes traditions religieuses non chrétiennes : « En vérité, la " vie religieuse " ne s'apprend pas. Le maître peut seulement en favoriser

7. *Id.*, Isaac, 2 ; *ibid.*, p. 137.
8. *Id.*, Poemen, 188 (174) ; *ibid.*, p. 253.

l'éclosion et le développement, davantage d'ailleurs par ses attitudes, par le contact de sa personne déjà transformée par sa propre expérience religieuse, que par ses enseignements théoriques ou pratiques... La personne du maître, finalement, s'efface et s'élimine, comme le paramètre d'une équation, afin de laisser toute la place à ce qui, dans le disciple, est en train de se manifester. Il s'agit en général de sa part d'une longue et vigilante patience qui requiert et soutient dans l'autre une attente où patience et impatience se mêlent paradoxalement. L'apprentissage des rubriques et des symboles, des interdits et des coutumes, est finalement moins important que la fréquentation du maître ou des anciens et c'est moins à leurs paroles et à leurs actes qu'à leurs silences et à leurs réticences que le novice devra de reconnaître s'il est bien sur la voie[9]. » Mais ces données communes sont, dans le monachisme égyptien, transposées dans un registre spécifiquement chrétien, et l'expérience spirituelle devient ici une authentique expérience de l'Esprit-Saint communiquée aux hommes par le Christ ressuscité.

Le cénobitisme primitif

L'importance de la fonction du Père spirituel dans le semi-anachorétisme est incontestable. En est-il de même en ce qui concerne les premiers monastères cénobi-

9. E. Cornélis, « Phénomène universel de la vie religieuse », dans *Lumière et Vie*, t. XIX (1970) p. 12.

tiques, dont la caractéristique essentielle était la vie commune intégrale ?

La chose a été contestée [10]. La thèse des historiens du monachisme qui estiment devoir opposer, sur ce point, la tradition cénobitique à la tradition semi-érémitique, pourrait se résumer ainsi : dès l'origine, il existe dans le monachisme chrétien deux courants nettement distincts. Dans les milieux érémitiques, les moines étaient essentiellement des disciples groupés autour d'un Père spirituel, qui apparaît comme un didascale, un formateur. Il n'existe pas de communauté proprement dite, ni de spiritualité communautaire. Au contraire, ce qui fait la spécificité du cénobitisme, c'est d'être non un regroupement de disciples autour d'un père, mais une communauté de frères. La vie fraternelle constitue le but même de l'institution. Dans cette communauté, le supérieur n'est pas un Père spirituel, un maître entouré de disciples ; il ne tient pas la place du Christ. L'autorité y est seulement un service de la communion fraternelle, finalisé et spécifié par cette communion, et n'ayant pour raison d'être que celle-ci. Si, dans le cénobitisme plus tardif, notamment en Occident chez saint Benoît, l'abbé est apparu

10. Voir surtout pour le monachisme pachômien, A. VEILLEUX, *La Liturgie dans le cénobitisme pachômien au IVe siècle* (« Studia Anselmiana », 57), Rome, 1968, et *id.*, « La théologie de l'abbatiat cénobitique et ses implications liturgiques », dans *Supplément de la Vie spirituelle*, septembre 1968, p. 351 s. Pour le monachisme basilien, J. GRIBOMONT, « Le monachisme au sein de l'Église en Syrie et en Cappadoce », dans *Studia monastica*, 7 (1965), p. 20 s. ; *id.*, « Obéissance et évangile selon saint Basile », dans *Supplément de la Vie spirituelle*, 15 mai 1952, p. 192 s. ; *id.*, « Saint Basile », dans *Théologie de la vie monastique* (Coll. « Théologie », n° 49), Paris 1961, p. 99 s.

comme un père et un représentant du Christ, c'est en vertu d'une confusion lourde de conséquences entre la conception semi-érémétique et la conception cénobitique, dont on aurait perdu, depuis Cassien, le sens authentique.

Cette thèse a le mérite de mettre dans un vigoureux relief l'élément nouveau qui apparaît avec l'institution cénobitique : la notion de communauté et la spiritualité communautaire. La charité fraternelle tenait une grande place dans l'enseignement des maîtres spirituels du désert ; mais cette charité se traduisait pour eux par une attitude d'humble amour, de respect et d'accueil à l'égard de tout homme. La méditation du groupe concret auquel appartenait le moine n'apparaissait pas. Pour saint Pachôme et saint Basile, au contraire, l'exercice de la charité envers le prochain, l'insertion effective du moine dans le Corps mystique du Christ, s'accomplissent et s'expriment à travers le mystère de la communauté, conçue analogiquement comme une église locale.

Mais une lecture sans préjugé de l'ensemble des documents relatifs au cénobitisme égyptien ou cappadocien est loin de donner le sentiment d'une absence de la notion de paternité spirituelle. Bien au contraire, dans les *Vies* de saint Pachôme, la notion de paternité est très affirmée ; le fondateur des *coenobia* y apparaît vraiment comme le père de chacun des moines et — ce qui est propre au cénobitisme — de la communauté comme telle. Théodore, l'un de ses proches collaborateurs et successeurs, dira, après la mort de Pachôme :

« Écoutez-moi, mes frères, et saisissez bien ce que je vous dis. En fait, l'homme que nous célébrons est, après Dieu, notre Père à tous. Dieu en effet a convenu avec lui de sauver par son intermédiaire une foule d'âmes. Et nous autres aussi, Dieu nous a sauvés grâce à ses saintes prières[11]. »

On objectera sans doute que ces *Vies* ne sont pas contemporaines de Pachôme, et ont été rédigées sous l'influence des idées de Théodore. Mais il est normal que Pachôme lui-même n'ait pas disserté sur sa propre paternité spirituelle ; cependant, rien ne permet de récuser le portrait que les *Vies* tracent de lui, et qui en font un véritable *abba*, un Père spirituel charismatique. Imaginer que Théodore ait sur ce point complètement infléchi la conception pachômienne est une pure conjecture, que rien n'autorise.

Mais les *Vies* nous montrent en même temps que le supérieur d'un monastère cénobitique exerce cette paternité spirituelle d'une manière un peu différente de celle des Pères du désert : son autorité est plus « directive », il prend davantage l'initiative de la réprimande et de la correction, il a fortement conscience d'avoir charge d'âmes. Même en Orient, le climat des monastères cénobitiques sera nettement plus institutionnel que dans le monachisme scétiote.

Des remarques analogues peuvent être faites à propos du cénobitisme cappadocien. Des études récentes[12] ont montré que l'œuvre de saint Basile et de saint Grégoire de Nysse a surtout consisté à assainir un ascétisme cha-

11. Vie copte de saint Pachôme, citée dans *L'esprit du monachisme pachômien,* Bellefontaine, 1973, p. VII ; voir l'ensemble des textes cités dans cet ouvrage, p. VII-XIX.

12. Voir surtout J. GRIBOMONT, « Le dossier des origines du messalianisme », dans *Epektasis. Mélanges patristiques offerts au Cardinal Jean Daniélou,* Paris, 1972, p. 611 s.

rismatique et enthousiaste, d'origine principalement syrienne, pour lequel ils éprouvaient d'ailleurs une sympathie certaine. Ils se sont trouvés en face de groupes dont certains au moins vivaient sans supérieurs et sans discipline. Les premières rédactions des Règles basiliennes, qui sont surtout des réponses aux questions qui étaient posées à Basile dans les communautés qu'il visitait, portent le reflet de cette situation ; la figure du supérieur y a peu de relief. Par contre, dans son traité *Sur la virginité*, écho de ses conversations avec son frère, Grégoire de Nysse enseigne vigoureusement la nécessité du Père spirituel. Les jeunes ascètes, dit-il, « devraient avant tout s'occuper de chercher pour cette route un guide et un maître (*didascalos*) excellent »[13], et Basile lui-même est présenté comme le parfait modèle d'un tel maître : « Tu verras non pas une personne unique, mais un chœur de saints, rangés sous la direction de ce coryphée (Basile), appliqués à imiter celui qui a pratiqué avec succès la vertu[14]. »

L'originalité du cénobitisme pachômien ou basilien semble dès lors avoir été de concilier très heureusement beaucoup d'éléments du monachisme primitif, notamment la notion du Père spirituel, avec l'idéal communautaire. Avec d'inévitables différences d'accent, cette conception prédominera dans la suite, aussi bien en Orient qu'en Occident. La notion bénédictine de l'abbé, héritière à travers Cassien de toute la tradition égyptienne et cappadocienne, apparaît ainsi non comme le

13. Grégoire de Nysse, *Traité de la Virginité* 23, 3 ; SC 119, p. 530-532.
14. *Id., ibid.*, 23, 6 ; *l. c.*, p. 545.

fruit d'une méprise et d'une déviation, mais comme l'expression d'une conception profondément traditionnelle et évangélique. Les vicissitudes de l'histoire et l'évolution des institutions ont certainement oblitéré peu à peu le caractère charismatique initial de la paternité spirituelle, comme du monachisme lui-même d'ailleurs. Mais les sources ne sont point taries et peuvent resurgir.

Placide DESEILLE

RÔLE DES STARETS DANS LA TRADITION ORTHODOXE

Avant de parler de l'action des « starets » en Russie, il est indispensable de définir exactement le terme même qui prête souvent à confusion. Le mot « starets » signifie, en langue slavonne et en langue russe, « un vieux », « un vénérable », mais avec une teinte de respect, le vieux en général étant « starik ».

Il y a trois catégories de « vénérables » (starets) dans les monastères orthodoxes et russes en particulier : ceux qui se chargent de l'éducation spirituelle d'un novice, ceux qui sont les moines les plus vieux et les plus respectés dans un monastère, et enfin la catégorie toute particulière de « conseillers spirituels » ou de « médecins d'âme », comme on les appelait, propre à la vie monastique russe du XIXe siècle.

La première catégorie n'est pas semblable à celle des maîtres de novices en Occident. Quand un jeune moine se présente au monastère, l'abbé le met sous l'obédience d'un « starets », c'est-à-dire d'un moine expérimenté dans la vie monastique, qui se charge de son « instruction spirituelle ». Le jeune moine doit une obéissance absolue à son « starets » qui est responsable de sa conduite.

A la deuxième catégorie appartiennent les « moines conseillers » qui souvent dans un monastère sont également les confesseurs des moines y compris l'abbé. On les choisit pour leur grande piété.

Enfin, la troisième catégorie, qui sera le sujet de notre exposé, comprend des moines qui se sont consacrés à une activité, se rattachant certes à un monastère, mais qui concerne les laïcs, hommes et femmes, qui viennent les consulter sur leur vie spirituelle.

Ainsi l'audience de ces trois catégories de maîtres spirituels est différente du point de vue de leur champ d'action, très restreinte pour les premiers, limitée pour les seconds et très large pour les troisièmes. Si les deux premières catégories des « starets » pouvaient compter de simples moines, non ordonnés prêtres, la dernière était exclusivement réservée aux hiéromoines, c'est-à-dire à ceux qui avaient reçu la prêtrise. Deux faits dominent l'action spirituelle des « starets » de la troisième catégorie : leur action s'accomplit en dehors de la clôture et leurs relations avec la hiérarchie établie est souvent difficile. On les considère comme une institution nouvelle, qui n'a pas de racines dans la tradition ecclésiale.

Les origines des « starets conseillers et médecins des âmes » remontent à saint Abraham de Smolensk (1160-1230 environ), un des saints les plus populaires en Russie. Dès son enfance, il fréquentait assidûment les offices, chantait et lisait les psaumes et les cantiques et après la mort de ses parents distribua tous ses biens aux pauvres, devint moine dans un des monastères des environs de la ville et y accomplit les travaux les plus durs, tout en étudiant la Sainte Écriture et les vies des saints, lecture préférée du peuple russe, ainsi que les œuvres des Pères de l'Église.

Poète et peintre d'icônes de grand talent, il composait des chants liturgiques et copiait les sermons des orateurs sacrés. Ordonné prêtre, il devint confesseur de son monastère, puis, quand son éloquence attira des foules, il devint le premier « starets » russe. En guidant dans leur vie ceux qui venaient le consulter, il fut le précurseur des « médecins des âmes » du XIXe siècle. Grand ascète, d'une simplicité et d'une sobriété exemplaires, il excita des jalousies parmi les moines et ceux qui n'avaient pas la même audience auprès des fidèles. Il fut calomnié et interdit *in sacris* par son évêque, Ignace (1206-1219), mais pleinement justifié, réintégré dans ses fonctions sacerdotales, il fut nommé abbé du monastère Notre-Dame à Smolensk.

Durant les dernières années de sa vie, il dirigea sagement son troupeau monastique, n'oubliant pas tous ceux qui venaient du dehors pour lui demander conseil.

La Russie eut par la suite de grands saints parmi lesquels celui qui restaura la vie religieuse du peuple après le désastre mongol, saint Serge de Radonège, mais la catégorie des confesseurs et maîtres spirituels du peuple ne recommença à fleurir que sept cents ans plus tard, au début du XIXe siècle.

Les origines du mouvement des « starets » remontent à la sécularisation de la vie en Russie au temps du « despotisme éclairé ». Si en France, en Allemagne et en Autriche la fermeture des monastères ne toucha que les ordres contemplatifs, les mesures prises par Catherine II furent beaucoup plus radicales et nettement antimonacales. Déjà sous Pierre le Grand, qui considérait les moines comme des « fainéants et des ulcères du pays », beaucoup de monastères furent transformés en asiles et maisons pour les invalides.

La Grande Catherine, sous l'influence de Voltaire et des Encyclopédistes, ferma en 1764 tous les monastères, et les moines furent obligés de s'expatrier. Nombreux étaient ceux qui s'installèrent dans les principautés danubiennes de Moldavie et de Valachie, c'est de là que viendra le renouveau de la vie monacale russe à la fin du XVIIIe siècle. Il sera lié à l'activité de l'abbé Païssy Vélitchkovasky, grand ascète et traducteur en slavon de la « Philocalie », recueil d'extraits ascétiques des Pères de l'Église et des anachorètes des premiers siècles.

Les élèves du père Païssy et les moines qui avaient trouvé asile au mont Athos retourneront en Russie au début du XIXe siècle, et leur action spirituelle prendra deux directions qui correspondent à deux courants de la vie monastique en Russie.

Dès le début du christianisme russe, au XIe siècle, il y eut deux spiritualités parallèles : celle de saint Antoine de Kiev († en 1073), et celle de saint Théodose († en 1074). Le premier, ancien moine athonite, préconisait une vie monacale entièrement séparée du monde. Il installa non seulement les cellules, mais même l'église, sous terre, dans des grottes. Le second, tout au contraire, jugea que dans un pays nouvellement christianisé, les monastères devaient jouer un rôle important dans la vie du peuple et lui apporter la lumière de la foi. Les deux grands ascètes fondèrent vers 1040 l'archiabbaye des grottes à Kiev qui devint le grand centre de vie spirituelle en Russie. La règle de saint Théodose qui se rapproche de celle de saint Benoît a eu la préférence du peuple russe qui suivit saint Théodose et non saint Antoine. Elle fut reprise et encore plus humanisée par saint Serge de Radonège au XIVe siècle. Les moines qui suivaient la règle des monastères du mont Athos s'en allèrent dans l'abbaye de Valaam sur le lac Ladoga dans le nord de la Russie. Ceux qui se réclamaient de la règle de saint Théodose et de saint Serge vers la Russie centrale, et c'est là que furent restaurés l'ermitage antique d'Optino (Optina Poustyn), fermé par Pierre le Grand, et le monastère de Sarov, connu par la vie et l'œuvre spirituelle de saint Séraphin (1759-1833). Celui-ci peut être considéré comme le premier et le plus grand des « starets », mais son action spirituelle dépasse tellement celle des « starets » d'Optino qu'il ne peut être inclus dans la lignée de ceux-ci. Nous donnons cependant quelques notions succinctes de sa vie et de son influence sur le développement de la spiritualité orthodoxe.

Il était né à Koursk, ville du centre de la Russie, d'où était également originaire saint Théodose de Kiev. Son père était entrepreneur et construisait une grande église dans sa ville. L'enfant tomba du clocher, mais fut miraculeusement sauvé et guéri par la Sainte Vierge, à laquelle il vouera toute sa vie une vénération toute particulière. Moine à dix-neuf ans au monastère de Sarov, il entreprit des pèlerinages aux lieux saints de la Russie, puis, ordonné prêtre, il s'en alla dans « le désert » (en Russie on appelle désert les forêts impénétrables du Nord), où il passa plusieurs années en prières. Quand il revint au monastère, les moines l'élurent abbé, mais il déclina cet honneur et, après une longue période de préparation, ouvrit, en 1825, largement les portes de sa cellule, où affluèrent des gens de tout rang et de toute origine, depuis l'empereur Alexandre Ier jusqu'aux humbles paysans. Dans ses entretiens avec Motovilov, il exposa son enseignement sur l'acquisition de l'Esprit Saint et sur la Lumière divine. On le trouva mort le 2 janvier 1833 agenouillé devant l'icône de la Sainte Vierge et on l'enterra auprès de sa petite maisonnette. Saint Séraphin de Sarov fut canonisé par l'Église orthodoxe en 1903.

L'ermitage d'Optino, situé au sud de Moscou dans la province de Kalouga, fut restauré grâce à l'archevêque Philarète de Kalouga (Amfithéatrov), grand orant et ascète, et c'est là que s'installa le premier de la lignée des grands « starets », Léonide (Nagolkine), en 1829.

C'était un marchand ambulant qui avait voyagé durant de longues années à travers le pays et avait rencontré des gens de toute condition. Après une période d'ascèse et de préparation dans différents monastères, il se fixa à Optino et ouvrit les portes de sa cellule. Des foules de paysans, de petits marchands et d'artisans vinrent pour le consulter et se confesser. C'était un homme simple, rude dans son parler, pratique dans ses conseils et qui amenait les hommes simples, par un langage imagé et des expressions souvent candides, à des idées profondes et en même temps pleines de bon sens. Il était très sévère envers ceux qui ne prenaient pas assez au sérieux ses instructions spirituelles.

Tout autre fut son successeur en tant que « starets », le père Macaire, fin lettré et homme d'une grande culture. Mais déjà du temps du père Léonide, l'opposition de principe contre les « starets » d'Optino s'était concrétisée. On leur reprochait d'introduire des nouveautés dans la vie monacale, de recevoir des femmes, quoique en dehors de la clôture, et surtout de vivre et d'agir en dehors du rythme ordinaire du monastère et de la vie en commun. Les « starets » cependant observaient ce rythme, assistaient, dans la mesure du possible, aux offices et obéissaient à l'abbé. Au père Léonide il fut même interdit de recevoir des personnes venues du dehors, mais l'insistance de ceux qui venaient était telle qu'il alla contre l'ordre du nouvel évêque et ce n'est que grâce à la protection et à l'intervention de l'archevêque Philarète que cette interdiction fut levée.

Les pères d'Optino avaient le don de pénétrer l'âme de chacun et de donner des conseils individuels à ceux qui venaient les consulter. Comme ils ne voyaient chacun, dans la plupart des cas, qu'une seule fois dans leur vie, leurs conseils spirituels étaient dirigés vers l'avenir. Ils traçaient la voie que chacun devait suivre, s'il voulait vraiment avancer dans la voie du salut. Ils donnaient l'absolution après la confession seulement s'ils avaient la conviction que la résolution de se corriger était prise sérieusement et non pas à la légère.

Le « starcts » Macaire qui succéda au père Léonide en 1841 appartenait à une famille aisée de noblesse. Il avait reçu une instruction philosophique, aimait les arts et la musique et était également fort compétent dans la traduction des œuvres anciennes, en particulier des textes grecs des Pères. Ce sont des professeurs et des étudiants ainsi que des hommes du monde qui vinrent à Optino et, profitant de ses conversations, le père Macaire les guidait vers des problèmes théologiques et spirituels. Sous sa conduite fut entreprise l'édition des Pères de l'Église. Son activité se doubla bientôt d'une correspondance importante. Ce sont surtout les candidats à la prêtrise qui lui demandaient conseil avant de prendre la décision définitive. Il mourut en 1860 et eut pour successeur le plus célèbre des « starets » d'Optino, Ambroise.

Père Ambroise (Grenkov) était d'origine ecclésiastique et fils de prêtre. Il fit ses études dans un séminaire et devint professeur de grec. En Russie, vu que le clergé séculier était bien souvent marié, la prêtrise devenait une tradition héréditaire. En 1839, il quitta l'enseignement et devint moine à Optino, où il collabora avec les pères Léonide et Macaire dans la traduction et l'édition des Pères grecs. Les trente années de son activité en tant que « starets » (1860-1891) furent très importantes pour le renouveau religieux parmi la classe intellectuelle. Si le père Léonide avait réveillé la conscience des classes moyennes et des humbles, et le père Macaire celle des intellectuels traditionalistes, il fallait qu'un des « starets » puisse devenir un missionnaire chez les intellectuels nouveaux, surgis après 1855 et les débuts du règne d'Alexandre II. C'était l'époque du nihilisme, du matérialisme et de l'athéisme et les « paroles d'un croyant » devaient résonner dans ce milieu. Nous verrons des écrivains, des penseurs, des hommes de haute culture intellectuelle qui n'étaient pas satisfaits par les idées venues d'Occident et aspiraient à un idéal chrétien, venir chez le père Ambroise. F. Dostoïevsky et Vladimir Soloviev lui rendront visite en 1878, mais il faut faire des réserves quant au chapitre des *Frères Karamazov* où Dostoïevsky représente le starets « Zossima ». Ce dernier a pris beaucoup de traits aux pères d'Optino, mais il était croyant, non pratiquant. Certains traits essentiels de l'action spirituelle des « starets » lui ont échappé. Les pensées du père Zossima sont belles et profondes, mais elles ne sont pas caractéristiques des « starets » d'Optino. Le chapitre concernant la mort et les obsèques de Zossima demande une explication. L'incorruptibilité des corps n'est nullement liée à la sainteté. C'est un privilège spécial accordé par Dieu qui a souvent un sens profond et missionnaire. Ainsi « le scandale » décrit par l'écrivain est nettement exagéré. Lors de la canonisation de saint Séraphin on constata que son cercueil ne contenait que quelques os et des bribes de vêtements et de cheveux et personne ne s'en scandalisa.

Père Ambroise se levait tous les jours à cinq heures, lisait les offices réglementaires, dictait des lettres et puis ouvrait les portes de sa cellule pour recevoir ceux qui venaient le consulter. Les visites duraient jusqu'au soir. Souvent il allait visiter le couvent de femmes de Chamordino, qui dépendait de l'ermitage d'Optino. Les « starets » prenaient toujours grand soin de l'organisation de la vie monastique féminine. Père Ambroise fonda trois couvents et c'est à Chamordino qu'il s'éteignit le 10 octobre 1891.

Possédant un don de grâce spécial, de prescience et de guérison, il avait également le don de pacifier les âmes les plus malades et les plus agitées et tout le monde le quittait rasséréné.

Le père Ambroise divisait les nombreux dons qui affluaient chez lui en trois parties : l'une allait aux monastères et couvents qu'il dirigeait, une moindre part pour l'huile des malades et les cierges et la plus grande pour les pauvres, ne laissant rien pour lui-même.

Au « starets » Ambroise succédèrent les « starets » Anatole (Zertsalov), Joseph et Barsonuphe. C'est à cette époque que se place un événement qui devait marquer la rupture entre Optino et une grande partie de l'intelligentsia russe. En 1910, Léon Tolstoï, qui avait publié son « Évangile » et était en opposition violente contre l'Église, eut pour la première fois connaissance des écrits patristiques qu'il ignorait complètement et, sentant sa mort proche, voulut aller voir un des « starets » d'Optino. Sa sœur Marie était religieuse au couvent de femmes de Chamordino proche d'Optino. Tolstoï séjourna un certain temps près du monastère, mais, poussé probablement par son orgueil et par le désir de ne pas entendre des critiques sur « sa foi », ne visita pas le « starets ». On peut présumer qu'une rencontre entre Tolstoï et le moine aurait pu changer sa fin. Il partit d'Optino et mourut en route dans une gare, chez le chef de celle-ci, qui était un tolstoïen protestant de gauche et adversaire résolu de l'Église. Aucun prêtre ne fut admis à son chevet par décision de ses filles et le « starets » d'Optino dut rentrer sans l'avoir vu. La mort de Tolstoï et ses obsèques laïques firent une impression immense en Russie. Sa réconciliation avec l'Église aurait eu des suites très grandes sur la classe intellectuelle russe.

Le dernier « starets » d'Optino, Nectaire (Tikhonov), qui était resté au monastère pendant un demi-siècle, assista à sa fermeture et à sa destruction en 1923. Il mourut au village de Kholmystchi en 1928 juste cent ans après l'arrivée du premier « starets » à Optino.

Quel enseignement peut-on tirer de l'action spirituelle des « starets » d'Optino ? Leur apparition au sein de l'Église orthodoxe fut providentielle. La Russie avait besoin de guides spirituels qui répondraient aux exigences de l'époque. Les « starets » représentaient en ce sens ce que le peuple pouvait produire de plus beau, et, malgré leur très petit nombre, leur action a été très grande. Après la mort du père Ambroise, en 1891, de nouveaux besoins s'étaient fait jour et à ces besoins sociaux et missionnaires parmi les ouvriers répondra l'action du père Jean de Kronstadt.

Pierre Kovalevsky

Bibliographie en français

1. Arseniev Nicolas. « Saints et starets russes », *in Dieu Vivant*, n° 6, Paris 1947.
2. Behr-Sigel Elisabeth. *Prière et sainteté dans l'Église russe*. Éd. du Cerf, Paris, 1950.
3. Kologrivov Rév. Père Jean (S. J.). *Essai sur la sainteté en Russie*. Éd. Beyaert, Bruges, 1953.
4. Kovalevsky Pierre, *Saint Serge et la spiritualité russe*. Éd. du Seuil, Coll. Maîtres spirituels (16), Paris, 1958 et 1969.
5. Lossky Vladimir. « Les starets d'Optino », *in Contacts*, N° 33, Paris, 1961.
6. Rouet de Journel Rév. Père (S. J.). *Monachisme et monastères russes*. Paris, Payot, 1952.
7. Mgr Séraphin (Ladé). *L'Église orthodoxe* (chapitre consacré aux starets d'Optino, par J. Tchetvérikov). Paris, Payot, 1952.
8. Sleskine Hélène. *Optino et les starets*. Thèse de maîtrise, Paris, 1971.
9. Smolitch Igor. *Moines de la Sainte Russie*. Éd. Mame, 1967.
10. Tyszkiewicz Rév. Père Stanislas (J. S.) et Belpair Rév. Père Théodore (S. B.). *Ascètes russes*. Éd. Soleil Levant, Namur, 1957.

MAÎTRE SPIRITUEL A LA MANIÈRE DU CHRIST

Sur toutes les routes du monde, on tombe sur des hommes et des femmes en quête d'une voie spirituelle et d'un maître pour les y guider. Il n'est pas nécessaire pour les rencontrer de prendre le chemin de Katmandou ou de quelque ermitage de l'Himalaya. Ces chercheurs de Dieu surgissent de partout. Ils voyagent par tous les moyens possibles et imaginables, mais, pour entreprendre ce long pèlerinage, la plupart ne sortent pas du petit cercle de leur vie familière car la Montagne de Dieu est finalement toute proche. Ses premières pentes nous invitent juste devant notre porte, et peut-être qu'un guide est là, assis à nous attendre, au bord du chemin.

Autrefois, on appelait cet homme père spirituel, ou directeur de conscience. Maintenant, on parlera de conseiller, de gourou, de maître, maître de yoga ou de zen. Quels que soient les noms, la réalité est fondamentalement la même. Il est des hommes qui ont trouvé le chemin de Dieu. Ce chemin, ils le parcourent sans cesse. La première fois qu'ils l'ont fait, ils devaient être seuls. La marche fut très dure car il y avait des montagnes et des déserts. Arrivés au terme, ils redescendent sans cesse dans la plaine pour aider ceux qui veulent gravir la Montagne de Dieu. Ils sont toujours des solitaires, mais ils ne marchent jamais seuls, accompagnés qu'ils sont de leurs disciples.

Que l'on se lance dans la méditation transcendantale dans le yoga intégral, dans le zen, dans la prière charismatique ou dans ce que nous appelons traditionnellement la contemplation, il est bon d'avoir un maître car les chemins sont toujours périlleux, qu'ils montent vers les sommets ou descendent vers les abîmes. Chacun peut suivre la voie qui lui convient, celle des hauteurs ou celle de la profondeur. Un père qui travaille chez les montagnards du Viêt-nam faisait route un soir avec son catéchiste, montagnard lui-même, sur une grande piste au flanc d'une vallée profonde. « Regarde, dit le père montrant le ciel par-dessus les pics, comme Dieu est grand, comme il est puissant ! » Après un moment de silence, le montagnard, le regard plongeant dans la vallée, dit simplement : « Oui, Père, mais vois comme il est profond ! »

Le guide et le chemin

On ne peut séparer le guide du chemin. C'est pourquoi l'idéal du maître spirituel est différent suivant les traditions. Ainsi, nous ne pouvons évacuer le fait que Jésus a dit : « Vous n'avez qu'un maître, le Christ » (Mt 23, 10), ni qu'il est notre maître en étant « la voie, la vérité et la vie ». (Jn 14, 6). Par contre, le Bouddha ne prétend être que « Celui qui montre le chemin ».

Jean-Baptiste est aussi un grand montreur du chemin. Il a été envoyé préparer la voie du Seigneur, mais, comme il le dit dans une très belle image, il a été dépassé par celui qu'il annonçait : « Après moi vient un homme qui m'a devancé, parce que, avant moi, il était. » (Jn 1, 15.) Il reste donc là où il a été placé. Il ne peut dire à ses disciples de « le suivre », lui Jean, car il n'est pas le maître au sens où le Christ le sera.

Les apôtres, eux, sont des maîtres à l'image du Christ car en lui ils ont parcouru le chemin vers le Père et le parcourent sans cesse. C'est, je pense, en cela que le maître ou père spirituel, dans le christianisme, trouve sa véritable originalité. Il peut, toutes proportions gardées, dire ce que disait saint Paul à ses chrétiens : « Auriez-vous en effet des milliers de pédagogues dans le Christ, que vous n'avez pas plusieurs pères, car c'est moi qui, par l'Évangile, vous ai engendrés dans le Christ Jésus. Je vous en conjure donc, montrez-vous mes imitateurs. Et c'est bien pour cela que je vous ai envoyé Timothée mon fils bien aimé et fidèle dans le Seigneur ; il vous rappellera mes règles de conduite dans le Christ, telles que je les enseigne partout dans les Églises. » (1 Co 4, 15-17.)

Paul n'est pas un de ces scribes assis dans la chaire de Moïse qui dirait aux fidèles que faire et ne le ferait pas lui-même. Il est tout engagé dans la tâche de guider ses fidèles en leur donnant la vie, en les faisant ses imitateurs, en les conduisant au cœur même du Christ. Dans toutes ses lettres, Paul fait part de son expérience de Dieu, expérience exceptionnelle il est vrai, et c'est pour cela qu'il est un si grand maître de vie spirituelle. Toute sa doctrine sur ce point se résume en cette phrase : « Soyez mes imitateurs, comme je le suis moi-même du Christ. » (1 Co 11, 1.)

Vers le Père, dans le Christ, par l'Esprit

Il est bien vrai que nous n'avons qu'un seul maître ou docteur, le Christ. Il est vrai aussi que nous n'avons qu'un seul père qui est le Père de Jésus-Christ notre Seigneur... Et paradoxalement, c'est bien à cause de cela que nous pouvons dire « père » à ceux qui nous engendrent dans le Christ et « maître » à ceux qui, en lui, sont nos modèles. Toute paternité vient du Père et toute vocation de maître vient du Christ. C'est en eux et par eux que ces deux charismes se réalisent, par la vertu de l'Esprit.

Si le maître spirituel est dit « père », c'est parce que, comme l'explique saint Paul, il est celui qui donne aux fidèles accès à la vie par le baptême. Mais il est aussi père dans d'autres sens. Dans les ordres monastiques le père abbé est « le père » qui préside comme père à la communauté. Idéalement, il devrait pouvoir remplir deux fonctions : celle du père qui gouverne et celle du père qui engendre perpétuellement à la vie divine. Son action doit être de l'ordre de l'Esprit car tout en étant « père », il doit surtout montrer « le Père ». Il le montrera d'autant mieux qu'il pourra dire comme le Christ : « Qui me voit, voit le Père. » Dans l'Esprit Saint, il aidera ainsi les fils spirituels à dire avec lui : « Abba ! » en se tournant vers leur unique Père. C'est ainsi que Joseph était pour Jésus l'image de son Père et lui apprenait, en même temps, à se tourner vers ce Père.

Le maître spirituel doit donc, en étant l'image du Père, montrer en lui-même Le Père. Il jouera ainsi auprès de son disciple le rôle de l'Esprit qui n'impose rien de lui-même, mais éclaire, explique et fait comprendre les paroles du Christ. Il laisse toute liberté à son disciple de grandir dans la ligne de son propre charisme. Ce « père » n'est pas un dominateur, mais un donneur de vie, un animateur, un illuminateur, qui joue ainsi le rôle de l'Esprit en l'aidant à se faire entendre de celui qu'il dirige.

Le directeur

Saint Paul était un directeur d'âmes, au sens où nous l'entendons maintenant, car il conseillait ses fidèles dans les circonstances les plus concrètes de leur existence. C'est presque toujours à propos de problèmes de la vie qu'il donne ses merveilleux développements théologiques. Il ne se perdait pas en analyse interminable des situations, mais ouvrait rapidement des perspectives dynamiques en proposant des solutions à la fois pratiques et fondées en théologie. Je ne rappellerai que l'exemple de sa lettre aux Philippiens. Cette communauté si chère à Paul était divisée en deux factions. Il les exhorte à l'entente, à l'humilité, à la charité fraternelle : « Comportez-vous ainsi entre vous, comme on le fait en Jésus-Christ : lui qui est de condition divine... » (Ph 2, 4-6.)

Comme Paul, l'apôtre Jean donne des conseils fort pratiques, par exemple en matière de charité fraternelle, mais toujours en orientant vers un but idéal, tout comme le Christ qui nous demande d'être parfait, comme son Père céleste est parfait. L'idéal que Jean propose n'est autre que l'amour même de Dieu que nous pouvons toucher, voir et entendre en nos frères, ou que nous devons leur témoigner.

Les apôtres étaient sur ce point dans une position privilégiée, ayant bénéficié de la direction spirituelle du Christ. Ils avaient été éveillés par lui au mystère de la vie divine et avaient reçu de lui, dans un contact quotidien, des critères de discernement.

Jean met en garde contre les faux prophètes, contre ceux qui divisent le Christ... (1 Jn 4, 1-3). Dans les premiers chapitres de l'Apocalypse, il blâme ceux qui ne vivent pas en chrétiens. Tout en ayant conscience de son rôle de directeur et de maître spirituel, il sait bien qu'il ne fait que répéter la doctrine du Christ et l'appliquer aux situations concrètes. Il affirme que celui qui dirige l'âme chrétienne, c'est Dieu lui-même. « Quant à vous, dit-il, vous possédez une onction, reçue du Saint, et tous, vous savez. » (1 Jn 2, 20.) « Vous savez » veut dire ici « vous connaissez la vérité » par une expérience personnelle.

Ceci nous ramène au fait que le vrai directeur est l'Esprit Saint dont l'onction est dans le cœur de tout fidèle, pour le guider dans le concret de l'existence. Le maître spirituel est là pour aider le disciple à prendre conscience de l'action en lui de l'Esprit Saint. Qu'il doive parfois agir avec une certaine autorité, cela peut être nécessaire, mais il est très regrettable que, trop souvent, le directeur se substitue à l'Esprit Saint et tue chez son dirigé toute faculté de discernement spirituel...

Le guide et le soutien

Le vrai guide spirituel est celui qui, ayant déjà parcouru un long chemin, le parcourt sans cesse seul ou avec d'autres. Il en connaît ainsi le tracé et tous les alentours. Un tel guide est capable de discerner les étapes nécessaires et l'infinie diversité des parcours possibles.

A partir de sa propre expérience, il doit pouvoir comprendre le chemin suivi par les autres ; sinon, il sera un de ces tyrans spirituels qui demandent obéissance à leurs dirigés. Souvent, ces guides ne connaissent qu'un seul parcours possible ou bien ils ont peur de perdre ce plaisir que tout homme a de se faire des semblables.

Seule une longue réflexion permet de donner à l'expérience personnelle une valeur universelle. C'est pourquoi sainte Thérèse d'Avila préférait les directeurs qui avaient une bonne formation théologique à ceux qui n'avaient que leur sainteté. Celui qui est tout enfoui dans sa propre expérience est finalement aveugle pour le reste. Il ne pourra pas se faire attentif à ce que l'expérience des autres a de personnel et sera toujours tenté de tout ramener à ce qu'il vit lui-même.

Le vrai guide doit apporter la lumière, mais aussi soutenir de sa présence. Comme il est normalement plus âgé que celui qu'il dirige, il est pour ce dernier l'assurance de la réussite. Je pense que bien des jeunes se privent d'un soutien essentiel pour l'existence s'ils ne se mettent pas sous les yeux l'exemple de quelqu'un qui a réussi sa vie... Ils pourront dire que cette réussite n'est pas celle qu'ils cherchent, mais il reste que rien n'est plus encourageant que la rencontre de quelqu'un dont la foi n'a pas été vaine.

Si, dans les moments les plus durs, le guide ne peut rien pour son disciple perdu dans la nuit, il peut du moins lui redire sans se lasser : « N'ayez crainte, Dieu est avec vous et je suis tout près... » Et puis il aura peut-être un jour à prendre son disciple à bras-le-corps pour lui faire franchir un mauvais pas. Il ne pourra sans doute le faire qu'en s'engageant à fond, de tout son être et avec toute la richesse de son expérience. Ainsi fit le Christ en devenant ce que nous sommes.

Dans la liberté

Les sociétés humaines forment leurs enfants pour elles-mêmes. On leur inculque un idéal et des manières de penser qui feront d'eux des images de ce que cette société voudrait être. Et ceci arrive aussi dans les congrégations religieuses où l'on risque de confondre l'éveil spirituel avec la « formation ».

Les nécessités de la formation des clercs, des religieuses, des chrétiens dans l'Église demandent une certaine contrainte et la mise en place de structures. Par ailleurs, il faut libérer ces mêmes personnes dans leur marche vers Dieu, et c'est là le rôle de la direction spirituelle. Celle-ci doit aider chacun à trouver sa voie propre à l'intérieur des contraintes nécessaires.

On a dit tant de mal des structures qu'il n'est pas la peine d'en dire davantage. Mais ce qu'on n'a pas assez dit, peut-être, c'est que l'on a trop souvent fait retomber sur les structures des blâmes que ceux qui s'en plaignent devraient faire retomber sur eux-mêmes. Et c'est ici que les maîtres spirituels sont nécessaires. Eux seuls sont capables de montrer le chemin de la libération.

Un être humain est un immense univers où l'on peut toujours s'épanouir à l'aise si on a le courage d'y pénétrer. Dans notre monde, il n'y a de vraie liberté que dans l'esprit. Or ce qu'on appelle communément la liberté n'est que l'absence de contraintes extérieures. La liberté de chacun est unique... Chacun doit la découvrir, et pour y parvenir un maître est souvent nécessaire. Tout le monde parle maintenant de libération dans le Christ. Pourquoi faut-il tant d'encre et de paroles pour convaincre les hommes d'une chose qui est précisément la raison même de la venue de Dieu sur terre ? C'est peut-être parce que nous commençons à entrevoir que cette liberté ne réside ni dans un développement qui lie les hommes à ce point les uns aux autres que la décision d'un petit groupe peut en réduire des millions à mourir de faim, ni dans une organisation si parfaite qu'elle doit limiter les libertés pour réaliser une certaine libération.

Seuls les maitres « spirituels » peuvent faire trouver la liberté dans la contrainte et faire accéder à une libération qui rendra possible l'assouplissement et la transformation des structures qui encagent l'Esprit.

Aider a grandir

D'ordinaire, le maître spirituel est plus âgé que le disciple. C'est pourquoi la relation qui se crée est celle d'un fils ou d'une fille à l'égard de son père. Rien de plus normal. Qu'il y ait parfois, surtout dans le cas des femmes, un certain excès, il ne faut pas s'en affoler. Une telle attitude est souvent nécessaire au début de la relation. Grâce à elle, une personne peut, en peu de temps, parcourir un long chemin, à cause de l'admiration filiale qu'elle a pour cet homme.

Certains directeurs sont très heureux, trop heureux de cette attitude à leur égard. Il leur semble qu'ils accomplissent là, dans la relation spirituelle, un désir de paternité qu'ils n'ont pu réaliser dans le mariage. Par ailleurs, la tonalité de cette relation l'empêche de devenir trop « amoureuse ». Mais le danger est qu'elle maintienne la dirigée dans un état d'adolescence.

Il faut donc que le père spirituel aide sa fille à grandir, à s'épanouir. Tout en la regardant toujours comme sa fille, il faudra bien qu'un jour il puisse la regarder en face et comprendre qu'elle est devenue femme. Il ne peut plus la regarder comme une petite fille et peut-être l'a-t-elle déjà de beaucoup dépassé dans l'expérience de Dieu. Nombreux sont les prêtres qui ont peur de voir arriver ce jour, où ils doivent constater que leur fille spirituelle est devenue leur sœur, non plus la petite sœur, mais leur sœur, une sœur qui veut être regardée comme une amie.

Que le disciple soit un homme ou une femme, ce développement est normal. Le maître spirituel doit aider le disciple à grandir dans sa propre ligne, suivant les inspirations de l'Esprit. D'ailleurs, plus quelqu'un s'approche de Dieu, plus il se libère des méthodes et des influences extérieures. Il acquiert sa propre manière d'être, dont l'essentiel est la tonalité de sa relation à Dieu. Normalement, la relation du maître et du disciple deviendra de plus en plus libre et spontanée. Ce qui avait commencé par une direction est devenu peu à peu un échange fraternel. Chacun se montre tel qu'il est dans sa liberté personnelle à l'égard de Dieu et des autres. Il n'est plus question alors pour le disciple de rencontrer le maître parce qu'il a besoin de sa direction ou de son aide. Ils échangent leur expérience de Dieu, dans une parfaite liberté l'un à l'égard de l'autre.

Dans l'humilité et la simplicité

A mesure que le dialogue entre le maître et le disciple se fait plus profond la distance qui les sépare diminue. Ainsi en fut-il dans le cas de saint François de Sales et de sainte Jeanne de Chantal. Bien que le disciple révère toujours le maître comme son maître, celui-ci devient de plus en plus le grand ami. Alors seulement peut s'épanouir entre eux l'intimité que le Seigneur a voulu réaliser avec ses disciples. C'est après leur avoir dit qu'il ne les considérait plus comme ses serviteurs mais comme ses amis qu'il leur révèle le secret de sa relation à son Père.

Quand le maître et le disciple sont arrivés à cette parfaite intimité dont je parle, ils peuvent se dire l'un à l'autre tout comme ils se disent à Dieu. Le maître n'a plus besoin de se montrer comme maître. Il l'est par tout lui-même et le disciple est à son tour devenu lui aussi un maître.

Je ne dis pas qu'il soit possible d'en arriver là avec tous ceux que nous aidons dans les voies du Seigneur, mais cette relation que je viens de décrire et dont le Christ nous a donné l'exemple reste l'idéal de la relation de maître à disciple. Si elle est impossible et même souvent à déconseiller dans les débuts, nous pouvons essayer d'y amener tranquillement ceux que nous en croyons capables. Là encore il ne faut pas forcer les choses, car le progrès d'une âme dans la découverte de Dieu reste soumis à une multitude de facteurs qui ne dépendent pas de nous.

Quand cette intimité dont je parle est réalisée, le maître laisse le disciple lire au fond de lui-même. C'est alors qu'il devient vraiment le maître. Certains diront que c'est là de l'utopie et que le maître doit rester dans son rôle, avec cette « distance » qui leur paraît nécessaire, surtout à l'égard des femmes. S'il en est ainsi, c'est que le « maître » n'est pas encore parvenu à cette maîtrise personnelle sans laquelle il ne peut communiquer son expérience dans toute sa profondeur. Peut-être a-t-il peur d'être connu, peur que le disciple le trouve moins avancé dans l'expérience de Dieu qu'il ne le paraissait. La seule solution est alors pour le maître de s'enfoncer encore plus profondément dans la recherche de Dieu. Or c'est peut-être là qu'est le problème. Il nous est facile d'être assis dans la chaire de Moïse et de parler comme on parle dans les livres... Mais il faut dépasser ce stade de l'adolescence et de l'imparfaite maîtrise, en vivant en toute sincérité ce que nous conseillons aux autres.

Celui qui montre les voies de Dieu

S'il y a si peu de bons directeurs spirituels, c'est qu'il y faut à la fois une grande expérience et un réel don de discernement.

Ce qui attire d'abord chez un maître spirituel, c'est une expérience spirituelle qui correspond à la nôtre. Cette perception est instinctive. On se sent attiré vers lui et l'on perçoit très vite qu'il éveille en nous des échos profonds. A chacune de ses paroles, nous nous sentons compris, et c'est comme si nous lisions notre expérience à la lumière de la sienne.

Ceci peut se produire à la lecture d'un livre. Ce que nous ne pouvions exprimer, ce dont même nous n'avions pas vraiment conscience surgit maintenant devant nous. Nous étions comme dans un cul-de-sac, nous ne savions plus où aller et, tout d'un coup, le chemin s'ouvre devant nous... et nous avons un guide pour nous y conduire. Cet homme a parcouru ce chemin ; nous n'avons qu'à le suivre. Il est celui que Dieu nous envoie. Combien de fois n'est-il pas arrivé qu'une personne marchant depuis longtemps dans l'obscurité sentit tout à coup, en écoutant un prêtre parler, que c'était lui, lui et pas un autre, qui serait le guide tant attendu.

Ce guide, c'est Dieu qui l'envoie et nous le donne. D'un coup, nous l'aimons, car il est pour nous le signe de cet amour de Dieu qui ne nous laisse jamais. Que nous puissions parler avec cet homme et nos deux expériences n'en font bientôt plus qu'une, tant la communication en Dieu est intense. Tout à coup, Dieu est là, avec une telle évidence qu'aucun doute n'est possible... Et dans cet échange s'épanouit une relation qui ne peut être qu'un grand amour, amour mystérieux, mais amour.

Le maître n'a fait que manifester l'amour du Seigneur, de la manière la plus simple du monde. Il a simplement montré de quel amour il était l'objet, et l'autre personne, objet de ce même amour, a immédiatement saisi. Qu'il y ait là de grandes occasions d'illusions, car nous sommes des êtres humains, il faut le reconnaître, mais le fait demeure de ces rencontres qui sont à la fois totale ouverture de deux personnes l'une à l'autre et irruption de Dieu dans leur rencontre, au cœur même de celle-ci.

Le compagnon de route

Maintenant, je ne puis mieux comparer le maître spirituel qu'au compagnon de route. Il n'est plus le guide professionnel auquel on demande conseil, mais l'ami et le compagnon, même si on ne le voit que rarement. Il peut être très loin, nous savons cependant qu'il nous accompagne par la pensée et la prière. Il est le compagnon des peines et des joies. Il sait s'arrêter au bord du chemin quand nous sommes fatigués, il sait nous encourager à nous remettre en route, il nous offre la main aux passages difficiles et nous indique le chemin quand il ne peut nous accompagner. Il nous prête sa lumière quand la nuit est trop noire.

Ce qui fait de lui un maître spirituel, ce n'est pas qu'il parle d'une manière magistrale ou mystérieuse, mais qu'il sait. Il connaît ce chemin et bien d'autres encore. Partout où nous passons, il semble qu'il soit déjà passé. Son expérience, il pourrait en faire part d'une manière abstraite et compliquée... mais au contraire il la livre dans toute sa simplicité, comme quelqu'un qui est tellement maître de ce qu'il a vécu, qu'il n'est plus besoin d'y mettre du fard. Il est père, frère, ami, compagnon de tous les instants.

S'étant ainsi dévoué, donné, dévoilé, vidé de tout, un tel maître sait bien qu'il est aimé. Qu'il n'en ait pas peur. Si tout ce qu'il a fait a été fait dans la lumière de Dieu, qu'il se souvienne de ce que sainte Thérèse d'Avila disait à ses filles en leur parlant de leurs pères spirituels : « Mais aimez-les tant que vous pourrez... » ou quelque chose de semblable. Comment ne pas aimer celui qui nous révèle l'amour du Seigneur et nous aide à y répondre. Il y a, bien sûr, dans une telle affection, des nuances et des degrés. Mais il faut savoir qu'elle peut atteindre une étonnante profondeur.

On dira peut-être que ce n'est plus là de la « direction spirituelle »... Ne faut-il pas dire que c'en est la perfection, car c'est ainsi que le Christ a révélé à ses apôtres le chemin vers son Père, en les introduisant comme des amis dans sa vie intérieure la plus intime. En voyant le Christ, les apôtres ont vu le Père. Ainsi, quand ceux qui nous connaissent peuvent nous dire : « En vous je vois le Christ... et le Christ en vous me montre le Père », nous pouvons penser que comme le Christ nous ne sommes plus des maîtres, mais des amis... Si nous pouvons dire avec Jésus : « Je leur ai fait connaître ton nom et je leur ferai connaître encore, afin que l'amour dont tu m'as aimé soit en eux, et moi en eux » (Jn 17, 26), nous sommes alors maîtres spirituels à la manière du Christ.

LE MAÎTRE SPIRITUEL COMME MÉDIATEUR ET COMME IMAGE

Dans toutes les religions, nous trouvons des médiateurs qui sont soit les prêtres, soit les saints, soit des êtres divins qui manifestent l'inaccessible divinité. Ces médiateurs sont des images plus ou moins parfaites de cet Absolu vers lequel nous sommes toujours en marche. A mesure que nous nous en approchons, ces images deviennent, si j'ose ainsi parler, plus ténues, plus impalpables. Quand il ne reste plus devant nous que ce vide quasi absolu qui nous sépare de Dieu, qu'il n'y a plus de médiateur, plus d'image... c'est ce vide béant, ce « chaos magnum » que personne ne peut traverser, qui est pour nous la médiation sans image de notre relation à l'Absolu. Quand nous en sommes arrivés à ce point de l'expérience spirituelle, ce n'est pas un paradoxe de dire que c'est la nuit la plus noire qui nous fait saisir la lumière inaccessible, l'absence totale de présence qui devient saisie de la présence totale. Mais qui peut aspirer à trouver Dieu dans une telle médiation impalpable, sans un appel spécial ? Les voies ordinaires vers l'Absolu sont plus humaines.

Voulant nous ouvrir un chemin jusqu'à lui, Dieu, en son Verbe incarné, s'est fait le chemin.

Or si tel est le médiateur parfait, qui pourra être, pour tout homme qui vient en ce monde, la parfaite image du Christ médiateur et chemin, sinon celui qui a vu Dieu et vit de son amour. Il donnera des conseils, il reprendra au besoin, il saura se faire pédagogue et montrera le chemin comme le fit le Christ.

Il y a dans le monde de fameux gouroux que les gens vont voir, simplement parce que ce sont des hommes de Dieu. Je sais qu'il y a tout un romantisme attaché à certaines formes de sainteté dont le Christ nous a détachés, mais l'idéal demeure de l'homme qui a trouvé le chemin de Dieu, s'est établi en Lui et vit comme tout le monde, avec cette différence qu'en le voyant on peut dire : « Il est le Christ à nouveau parmi nous. »

Tout cela est très beau, direz-vous, mais où trouver de tels maîtres spirituels ? Je pense qu'il y en a beaucoup qui s'ignorent. Beaucoup d'autres n'ont commencé à savoir que le Seigneur se manifestait en eux que le jour où quelqu'un est venu frapper à leur porte pour leur demander de les aider. Ils ont bien vite compris qu'ils n'étaient que des guides, des montreurs du chemin. Ils ne pouvaient par provoquer chez le disciple l'expérience de Dieu, mais, en découvrant qu'ils étaient de vrais médiateurs, ils ne pouvaient plus refuser de s'engager à fond dans la double expérience de la relation à Dieu et aux hommes. C'est ainsi qu'ils sont devenus pour leurs disciples de vraies images du Christ.

Yves RAGUIN, s.j.

QUESTION

LE PSYCHANALYSTE EST-IL UN MAÎTRE SPIRITUEL ?

Le psychanalyste est-il un maître spirituel ? La question, il y a seulement quelques années, ne se serait même pas posée ! Quel rapport pourrait-il y avoir entre une technique psychiatrique, donc médicale, et cette relation qui s'établit entre le disciple et celui qui le guide dans les voies du salut religieux, sur les chemins d'une réalisation de soi-même, vers la réponse libre et généreuse à une vocation, à un appel personnel ? Cette question, pourtant, ne peut pas, aujourd'hui, ne pas se poser, et cela pour plusieurs raisons.

C'est d'abord du côté des « pasteurs » que s'est amorcée, depuis un certain nombre d'années, une réflexion sur ce thème. « La relation humaine dans le dialogue pastoral », « confession et psychanalyse », « la relation pastorale », « pratique de la direction spirituelle et psychanalyse », « psychanalyse et mystère de l'homme », etc., tels sont les titres, glanés un peu au hasard, de livres, articles, congrès ou rencontres, de ces vingt dernières années ; on en trouverait sans peine beaucoup d'autres. Qu'il s'agisse ici de prêtres formés par la psychanalyse ou confrontés à elle, qu'il s'agisse d'analystes interrogeant des pasteurs sur les conditions d'exercice de leur ministère, le fait demeure que la psychanalyse met en question cette « relation pastorale », tant du côté du pasteur que de celui des consultants.

Quelle est donc cette parole qui s'échange entre le guide spirituel et celui qui vient solliciter lumière ou conseils ? De quelle nature est la relation qui s'établit entre eux ? A quel niveau peut-elle se situer ? Qu'est-ce qui se passe *en fait* au-delà des mots prononcés, des attitudes prises, etc. ? Comment le psychanalyste, ce « maître du soupçon », n'aurait-il rien à dire en ces domaines où se joue, au sein d'une relation duelle, d'un dialogue visant à s'instaurer *en vérité*, le cheminement personnel d'un être en sa plus grande profondeur ? Se confesser pécheur, discerner ce qu'il y a d'authentique ou d'inauthentique dans une orientation, décider, selon le mot d'Ignace de Loyola, « sans aucune affection désordonnée », répondre le plus honnêtement possible à un appel..., tout cela ne renvoie-t-il pas à ce cœur de l'homme, si mystérieux, où s'entrecroisent le meilleur et le pire, les tentations et les aspirations, les motivations les plus claires et les motifs les plus obscurs, voire les plus inconscients ? Faire la lumière, y voir clair en soi (et dans les autres), comment cela pourra-t-il se réaliser, si l'on néglige l'éclairage de la psychanalyse ?

Mais alors, si rien d'humain, pas même les aspects religieux de l'existence, ne peut leur rester étranger, les psychanalystes n'auront-ils pas tendance à se déclarer seuls compétents pour aider les clients à faire la vérité, à s'orienter de façon authentique, à assumer de façon lucide, cohérente, courageuse, leur propre destinée personnelle, à rectifier ce qui était dévié et à se réaliser sans faux-fuyants ? Faire sur soi la vérité suppose au moins la prise en considération de toute la *dynamique inconsciente* qui sous-tend la personnalité consciente, de ce *désir* fondamental et protéiforme à l'œuvre dans les aspirations les plus élevées comme dans les gestes les plus machinaux, de cette relation à l'Autre sans laquelle n'existe nulle réalité humaine digne de ce nom. Sans la psychanalyse, les élans les plus sincères, les attitudes en apparence les plus pures, les activités les plus désintéressées risquent de se révéler ambiguës, équivoques, illusoires ou même fallacieuses. Et quel terme, quelle limite faudra-t-il fixer à cette démarche de clarification, de vérification, qui engage le sujet dans le dédale de ses motivations inconscientes et conditionne ses décisions les plus graves ?

Allons plus loin. S'il est un domaine où il est facile de se faire illusion, c'est bien celui de la religion ! Ce Dieu, ce Père, cet Absolu, vers lequel on prétend se tourner, que l'on affirme comme origine et fin de toute existence, que l'on invoque pour le remercier, lui demander pardon, aide ou protection, dont on espère qu'il nous comblera, etc., où est-il, qui est-il au regard du *désir inconscient* qui nous habite et nous meurt ? N'est-il pas précisément la projection de nos exigences infantiles, de nos craintes, de nos peurs, de notre besoin d'être rassurés ? Dans la mesure même où nous le déclarons à la fois invisible, tout-puissant et plein d'amour, comment n'aurait-il pas les traits que notre imagination se plaît à lui attribuer ? Et comment nos *fantasmes inconscients*, toujours présents et toujours à l'œuvre au plus profond de nous-mêmes, n'auraient-ils pas leur rôle à jouer, là où il est question de l'origine de la vie, de la faute et du pardon, du bonheur et du malheur, ou de la mort et de la fin de toutes choses ?

Conscients de cette situation, certains psychothérapeutes — qui, parfois, se disent analystes, mais il y aurait là bien des nuances à apporter — n'hésitent pas à revendiquer une réelle « *charge d'âme* » (*Seelsorge*, chez les auteurs de langue allemande). La relation à Dieu ne saurait, selon eux, être étrangère à l'orientation correcte du psychisme et celle-ci deviendrait signe de celle-là. Le psychanalyste se ferait alors guide spirituel.

A ce point de nos réflexions, il faut pourtant nous arrêter. Car cette identification du psychanalyste à un maître spirituel, non seulement ne va pas de soi, mais se heurte à la psychanalyse elle-même, du moins à la psychanalyse freudienne, telle qu'elle est comprise par des disciples les plus stricts du Maître de Vienne. C'est surtout dans les pays de langue allemande (en Autriche et en Suisse principalement) que des analystes, s'inspirant, suivant les cas, de C.-G. Jung, de V. Frankl ou d'autres auteurs, tendent à élargir ce qui, au départ, n'était qu'un acte thérapeutique, en une véritable reconstruction de la personnalité : « De la psychanalyse à la synthèse de l'existence », selon le mot d'I. Caruso. Dès lors, la médecine se fait quête de sagesse, la guérison de la névrose ré-orientation de la vie, le dépassement de l'angoisse névrotique affrontement de l'*angoisse existentielle* liée à la finitude humaine, et, finalement, l'ouverture à la parole de l'autre, accueil de l'Autre, de l'Absolu, de Dieu. Certaines analyses d'un P. Tillich seraient à situer dans ces perspectives.

S'il est vrai que, dans certaines de ses œuvres théoriques, Freud a explicitement traité de la destinée humaine et du problème religieux (qu'on se réfère à *Malaise dans la civilisation, Totem et Tabou, L'avenir d'une illusion, Moïse et le monothéisme*), il n'en demeure pas moins vrai qu'il s'est constamment refusé, dans ce qui fait l'essentiel de son œuvre, à quitter le terrain clinique. « Comment pouvez-vous m'aider ? » lui demandait, au début de sa carrière, un malade. « Il est hors de doute, répondait-il, qu'il serait plus facile au destin qu'à moi-même de vous débarrasser de vos maux, mais vous pourrez vous convaincre d'une chose, c'est que vous trouverez grand avantage, en cas de réussite, à transformer votre misère hystérique en malheur banal. Avec un psychisme redevenu sain vous serez plus capable de lutter contre ce dernier. » (*Études sur l'Hystérie*, p. 247.) Cette attitude ne s'est jamais démentie : quels qu'aient pu être ses travaux métapsychologiques, Freud est resté fondamentalement un médecin, et ceux qui, aujourd'hui, se réclament de lui, se refusent, comme lui, à donner des conseils « spirituels » ou moraux, à proposer des raisons de vivre, à orienter l'existence de leurs clients dans un certain sens. L'opposant au « directeur de conscience », le P. L. Beirnaert, définissait ainsi la tâche du psychanalyste : « Le psychanalyste représente, pour sa part, la santé psychique, c'est-à-dire la libération des troubles névrotiques. Il fait appel à la volonté de guérir et à la spontanéité vitale du malade ; ou plutôt, il les suppose, car son rôle est simplement de fournir à ce dernier les moyens de prendre conscience du caractère infantile et anachronique de certains de ses comportements. C'est un thérapeute qui vise à donner à la personnalité la disposition de forces et de tendances aberrantes jusque-là. Son but spécifique est de restaurer l'intégrité d'un psychisme naturel, dont la personne libre fera sous sa propre responsabilité un instrument et une expression de la vie selon l'esprit. » (*Expérience chrétienne et psychologie*, p. 74.) Situation artificielle — le divan du psychanalyste – silence et *neutralité bienveillante* répondant (ou ne répondant pas !) au discours du client, règle fondamentale des *associations libres*, reviviscence d'attitudes archaïques dans le *transfert* et analyse de celui-ci, interprétation progressive des rêves, des actes manqués, etc., ne sont que les diverses phases ou les divers aspects de cette même thérapeutique, de cette même méthode, visant à rendre au sujet la disponibilité, la maîtrise de son propre discours. Comme le dit encore le P. Beirnaert : « C'est en vue d'un bien empirique à obtenir que son patient est venu trouver l'analyste : il s'agit toujours d'un homme, d'une femme qui souffrent de ne pouvoir aimer, travailler, se mouvoir à l'aise parmi leurs semblables. Or, bien loin de s'attacher aux propos apparemment raisonnables de son patient et de faire appel à son bon sens, ainsi que tout le monde l'a fait jusque-là sans le moindre succès, c'est précisément ce qui apparaît comme non-sens, ce qui est le plus énigmatique, que recueille l'analyste... Ces non-sens sont pour lui la manifestation même d'un sens, ils sont gros d'un discours dont le sujet doit s'acquitter » (*ibid.*, p. 283). Mais ce discours, avec toutes ses harmoniques, ses dimensions inconscientes, ce n'est pas celui de l'analyste – celui-ci n'a rien à « révéler » –, c'est celui du sujet. Si les *non-sens* prennent *sens* pour ce dernier, il peut alors accéder à l'univers *du Sens en vérité* ; il devient apte à la quête du Sens : l'analyste, à ce point, n'a plus rien à lui dire. Au-delà du *monde imaginaire* qui bloquait toutes les issues en colmatant toutes les brèches, peut s'ouvrir, par la reconnaissance *symbolique* de ce qui est vécu, un authentique accès au *réel*, c'est-à-dire, en fin de compte, à l'ordre de la *liberté personnelle* dans son rapport avec la réalité empirique. *Épreuve de vérité* pour le sujet qui la vit, la psychanalyse freudienne s'arrête à ce seuil ; elle permet seulement (mais n'est-ce pas essentiel ?) au patient de se retrouver lui-même en profondeur et de retrouver par là même la vérité de ses relations au monde et à autrui. A lui, maintenant, de voir quel appel s'adresse à lui, quelle voie il va prendre, quel usage il fera de sa liberté.

Le psychanalyste est-il un maître spirituel ? Reprenant, au terme de notre brève analyse, cette question initiale, nous pouvons maintenant nuancer notre réponse. Si l'on veut dire par là que l'analyste, *dans sa fonction d'analyste*, permet à son client de *se retrouver en vérité*, au-delà de ses blocages, de ses illusions, de ses attitudes plus ou moins infantiles, au-delà de ses alibis imaginaires et de ses refus crispés, peut-être pourrait-on dire, non pas certes que le psychanalyste est un maître ou un guide spirituel (lui-même refuserait énergiquement ce titre), mais qu'il peut, à son niveau et de son *lieu*, aider puissamment le sujet à s'ouvrir une voie vers l'existence authentiquement spirituelle, à accepter limites et nécessaires renoncements et à reconnaître dans sa vie l'appel de l'Autre. Nul ne contestera qu'il y ait là des éléments, pour une large part inconscients, d'une importance décisive dans une vie spirituelle. Mais c'est toujours à partir de ce désir inconscient, de ces soubassements dynamiques de la personnalité, que le sujet en psychanalyse aura à se situer. A aucun moment, dans la stricte perspective freudienne, l'analyste n'aura à intervenir pour signifier, de façon positive, la réalité d'un appel ou le choix d'une route : à cet égard, il ne sera jamais, au sens précis du terme, un maître spirituel, pas plus qu'il ne prétend être un moraliste ou un pédagogue. La rigoureuse distinction des plans et des approches nous paraît devoir être maintenue et leur confusion présenterait, à notre avis, beaucoup plus d'inconvénients que d'avantages. La collaboration toujours délicate, parfois fructueuse, voire indispensable, entre psychanalyste et conseiller spirituel, collaboration qui n'est jamais directe, mais passe toujours (au moins de droit) par le « client » lui-même, suppose, à notre sens, cette distinction et n'est valable qu'à ce prix.

Jean-François CATALAN, s.j.

Note bibliographique

« Avons-nous encore besoin de maîtres spirituels ? » *Vie spirituelle,* mars-avril 1972, p. 181-204.

« Le maître spirituel dans le zen », *Axes*, février mars 1974.

« Le guru dans la tradition hindoue », *Axes*, avril-mai 1974.

« La direction spirituelle en Islam », *ibid.*

« Un grand Maître juif », *ibid.*

« Le Père spirituel dans le monachisme primitif », *ibid.*

« Rôle des starets dans la tradition orthodoxe », *Axes*, février-mars 1974.

« Maître spirituel à la manière du Christ », *ibid.*

« Le psychanalyste est-il un maître spirituel ? », *ibid.*

L'impression de ce livre
a été réalisée sur les presses
des Imprimeries Aubin
à Poitiers/Ligugé

pour les Éditions du Cerf

Achevé d'imprimer le 15 avril 1980
N° d'édition, 7168 – N° d'impression, L 12375
Dépôt légal, 2e trimestre 1980.

Imprimé en France

FOI VIVANTE

1 Y. CONGAR**
Jésus-Christ

2 R. VOILLAUME*
A la suite de Jésus

3 J. MOUROUX*
Je crois en Toi : La rencontre avec le Dieu vivant

4 B.-M. CHEVIGNARD
La doctrine spirituelle de l'Evangile

5 R. GUARDINI**
La Messe

6 L. BOUYER***
Le mystère pascal

7 J. JEREMIAS*
Paroles de Jésus : Le Sermon sur la montagne. Le Notre-Père

8 A. SERTILLANGES**
La vie intellectuelle

9 A. GEORGE*
A l'écoute de la Parole de Dieu

10 A.-M. CARRÉ
Compagnons d'éternité

11 BERNARD BRO*
Apprendre à prier

19 H.-M. FERET*
L'Eucharistie, pâque de l'univers

26 J. MOUROUX*
La liberté chrétienne

27 Y. CONGAR**
Vaste monde, ma paroisse

28 Th. SUAVET**
Construire l'Église aujourd'hui

29 R. VOILLAUME*
Prier pour vivre

30 A. GÉLIN *
Les idées maîtresses de l'Ancien Testament

31 M.-J. LAGRANGE*
La méthode historique : La critique biblique et l'Église

33 L. JERPHAGNON*
Le mal et l'existence

36 J. DANIÉLOU*
L'entrée dans l'histoire du salut

37 P. GRELOT*
Le ministère de la nouvelle alliance

38 G. MARCEL**
Foi et réalité

41 A. GÉLIN *
Les pauvres que Dieu aime

43 L.-J. LEBRET***
Appels au Seigneur

45 H. BOUILLARD*
Connaissance de Dieu

46 G. ROTUREAU*
Amour de Dieu, amour des hommes

49 F. PASTORELLI**
Servitude et grandeur de la maladie

52 K. BARTH*
La prière

53 R. VOILLAUME*
Frère de tous

55 M.-J. MOSSAND
G. QUINET***
Profils de prêtres d'aujourd'hui

56 J.-A. CUTTAT***
Expérience chrétienne et spiritualité orientale

57 P.-R. RÉGAMEY**
Pauvreté chrétienne et construction du monde

58 L. LOCHET*
Apparitions Présence de Marie à notre temps

59 M.-D. CHENU*
Théologie de la matière

60 H. DE LUBAC***
Méditation sur l'Église

61 M. THURIAN***
Marie, mère du Seigneur. Figure de l'Église

62 J. THOMAS**
Croire en Jésus-Christ

63 S. KIERKEGAARD*
Les soucis des païens Discours chrétiens - T. I

64 R. GUARDINI*
Vie de la foi

66 J. MARITAIN***
Humanisme intégral

67 H. DE LUBAC*
Athéisme et sens de l'homme

68 A.-M. CARRÉ*
P. CLAUDEL
S. FOUCHE
F. MAURIAC...
Dialogues avec l souffrance

69 J. BLAUW**
L'apostolat de l'É

70 Y. CONGAR*
Cette Eglise que j'

71 Y. CONGAR**
A mes frères

72 R. COSTE***
Évangile et poli

73 K. RAHNER*
Le prêtre et la paroisse

75 A. GÉLIN *
L'homme selon la B

76 H. URS VON BALTHASA
La foi du Christ

78 C. S. LEWIS*
Etre ou ne pas E Le christianisme e facile ou difficile

79 A.-M. BESNARD*
Un certain Jésus

80 K. BARTH**
Esquisse d'une dogmatique

82 O. RABUT**
Dialogue avec Teilhard de Chardi

84 S. KIERKEGAAR
Dans la lutte des souffrances Discours chrétiens T. II

85 G. MARCEL**
Etre et Avoir Journal métaphysiq

86 G. MARCEL*
Etre et Avoir Réflexions sur l'irréligion et la fo

87 M. MENANT***
Paul parmi nous

88 R. HOSTIE***
Du mythe à la relig

89 J. MARITAIN*
Religion et Culture

90 G. von LE FORT*
La femme éternelle

91 SPIRIDON**
Mes missions en Sibé

92 J. DELANGLADE*
Le problème de Di

154 DANIEL-ROPS***
L'Eglise des Apôtres et des Martyrs T. II
155 M.-D. MOLINIÉ ***
Le combat de Jacob
156 Y. CONGAR*
Une passion : l'unité
157 MEREJKOVSKY (B)
Jésus inconnu
158 M.-J. POHIER (B)
Le chrétien, le plaisir et la sexualité
159 H. DE LUBAC (B)
Dieu se dit dans l'histoire
160 P. FESTUGIÈRE (B)
Le sage et le saint
161 E. BORNE (C)
Dieu n'est pas mort
162 IGNACE D'ANTIOCHE (B)
Lettres aux églises. Les écrits des pères apostoliques (tome II)
163 A. D'HEILLY (C)
Amour et sacrement
164 L. CERFAUX (C)
Une Église charismatique : Corinthe.
165 S. AUGUSTIN (C)
Il n'y a qu'un amour Commentaire de la Ire épître de S. Jean
166 P. CHRISTIAN (C)
Les pauvres à la porte
167 C. FORMAZ (C)
A l'école du Christ souffrant Journal de malade
168 TH. D'AVILA (C)
Conseils spirituels
169 TH. MERTON (C)
La vie contemplative dans le monde actuel
170 THÉRÈSE DE LISIEUX (C)
Pensées I. Une tendresse ineffable.
171 THÉRÈSE DE LISIEUX (C)
Pensées II. Aimer jusqu'à mourir d'amour
172 THÉRÈSE DE LISIEUX (C)
Pensées III. Les yeux et le cœur
173 Sr GENEVIÈVE o. p. (textes choisis par) (D)
Le trésor de la prière à travers le temps
174 R. GUARDINI (C)
Les âges de la vie
175 J. JEREMIAS (C)
Le message central du Nouveau Testament
176 TERTULLIEN (C)
Le baptême
177 J. MOLTMANN (D)
Le Seigneur de la danse
178 B. SCHLINK (D)
Marie. Le chemin de la Mère du Seigneur
179 P. EVDOKIMOV
Présence de l'Esprit Saint dans la tradition orthodoxe
180 ÉTHERIE (C)
Mon pèlerinage en Terre Sainte
181 A.-J. FESTUGIÈRE (C) *Socrate*
182 A. DUMAS (E)
Des hommes en quête de Dieu. La règle de saint Benoît.
183 A. D'HEILLY (D)
Visage de l'homme, visage de Dieu
184 A.-M. BESNARD (D)
Par un long chemin vers Toi Le pèlerinage chrétien
185 ANTOINE BLOOM (D)
Prière vivante
186 M.-V. BERNADOT (C)
De l'Eucharistie à la Trinité
187 MARC JOULIN
Le courage d'é chrétien
188 A.-M. BESNAR (D)
Propos intempes. sur la prière
189 JEAN TAULEF
Aux « Amis de Dieu »
190 LES ÉCRITS PÈRES APOST QUES (Tome I)
La Didachè. É de Clément de F
N.B. LES ÉCRITS PÈRES APOST QUES (Tome II) *Lettres d'Ignace d'Antioche ;* cf. Vivante n° 162
191 LES ÉCRITS PÈRES APOST QUES (B) (T III) *Lettres de nabé. Lettre à gnète*
192 MAURICE ZUNDEL (C)
Notre Dame de Sagesse
193 R. VOILLAUME
La contemplation aujourd'hui
194 J. LOEW (E)
Comme s'il vo l'invisible
195 SYMÉON LE NOUVEAU THÉOLOGIEN
Prière mystique
196 CL. MONDÉSER
Pour lire les P de l'Église dans collection « Sou chrétiennes »
197 J.-A. MOEHLER
L'Unité dans l'Eglise.
198 COLLECTIF
Le maître spiri